HEYNE FILMBIBLIOTHEK

FRIEDEMANN BEYER

Die Gesichter der
UFA

STARPORTRAITS EINER
EPOCHE

Originalausgabe

WILHELM HEYNE VERLAG
MÜNCHEN

HEYNE FILMBIBLIOTHEK
32/175

Herausgeber: Bernhard Matt

Der deutsch-französischen Zusammenarbeit

BILDNACHWEIS

Anton, R. 9, 21, 27, 37, 45, 47, 49, 59, 75, 101, 105, 169, 175, 189, 193, 197, 201, 205, 209, 211, 251, 261; Archiv des Autors 11, 15, 20, 29, 31, 33, 41, 53, 55, 61, 63, 65, 67, 69, 73, 77, 83, 87, 91, 93, 97, 101, 103, 107, 113, 115, 119, 121, 125, 127, 131, 141, 143, 145, 147, 151, 153, 155, 157, 167, 177, 187, 215, 217, 221, 225, 227, 229, 231, 239, 257, 259, 267, 269; Archiv Roehl 137; Bildarchiv Engelmeier 17, 25, 129, 183, 207, 213, 219, 223, 255, 259, 271, 273; Deutsche Kinemathek, Berlin 43, 51, 57, 79, 85, 89, 95, 99, 109, 111, 117, 123, 133, 135, 139, 149, 161, 163, 165, 171, 173, 181, 185, 191, 195, 199, 203, 235, 237, 241, 243, 245, 247, 249, 253, 263, 265, 275; Foto Ufa-Schulz 77; Gloria Tobis Rota 179; Hipp-Foto 19, 233! Kongo-Express 71; NDR-Pressestelle 81; Tobias-Quick 39

2. verbesserte Auflage

Copyright © 1992 by Wilhelm Heyne Verlag GmbH & Co. KG, München
Umschlagfotos:
Deutsches Institut für Filmkunde, Wiesbaden; Interfoto, München;
Bildarchiv Engelmeier, München; Stiftung Deutsche Kinemathek, Berlin
Rückseitenfoto: Stiftung Deutsche Kinemathek, Berlin
Printed in Germany 1992
Umschlaggestaltung: Atelier Ingrid Schütz, München
Satz: Fotosatz Völkl, Puchheim
Herstellung: H + G Lidl, München
Druck und Bindung: Presse-Druck Augsburg

ISBN 3-453-05971-9

Inhalt

Auf der Titelseite von oben links im Uhrzeigersinn:
Emil Jannings, Kristina Söderbaum, Heinrich George,
Hans Albers, Pola Negri

Vorwort
Die Ufa im Spiegel ihrer Stars

Alles andere als Glamour im Sinn hatten die Teilnehmer einer Konferenz, die am 25. Mai 1917 im Berliner Kriegsministerium stattfand. Unter Vorsitz des Obersten Wrisberg diskutierten die Vertreter einiger ziviler und militärischer Behörden die schlechte Stimmung im Reich. Deutschland stand im dritten Kriegsjahr und hatte an der Westfront mit Müh und Not die jüngste Großoffensive französischer und englischer Truppen überstanden; von Sieg war längst keine Rede mehr.

Was den Herren im Kriegsministerium an diesem Tag aber mehr zu schaffen machte, war weniger die düstere militärische Lage als die an der Heimatfront, wo sich eine Mischung aus Fatalismus und Oppositionsgeist gegen die Hohenzollerndynastie zusammenbraute. Man war sich einig, daß etwas geschehen müsse, um die Landsleute für den Fortgang des Krieges, dessen Ende nicht abzusehen war, bei Laune zu halten.

Kurz nach Kriegsbeginn hatte es Maßnahmen gegeben, den Kampfgeist der Deutschen zu mobilisieren – was angesichts der allgemeinen Euphorie nicht schwergefallen war. Damals berief der deutsche Generalstab den Kino-Pionier Oskar Meßter zum »Fachmann für Bild- und Filmwesen«. Meßter ließ seine Auftraggeber nicht lange warten: Schon im September lief sein Kurzfilm *Dokumente zum Weltkrieg* in den Kinos an. Es war die erste Kriegswochenschau, die einen Monat später durch die regelmäßig erscheinende ›Meßter-Woche‹ fortgesetzt wurde.

Die Spielfilmproduktion zog nach.

›Kriegsschauspiele‹ wie *Im Schnellfeuer* oder *Die liebe Gulaschkanone* liefen erfolgreich – solange die deutschen Truppen erfolgreich marschierten.

Nach Erstarrung zum Stellungskrieg, den auch die ebenso blutigen wie sinnlosen Materialschlachten nicht beenden konnten, und nach dem ersten ›Kohlrübenwinter‹ 1916 ließ im Frühjahr 1917 die Begeisterung für das Thema spürbar nach.

Um in den Kinos die Kriegspropaganda wieder in Gang zu bringen, mußte nach dem Willen der Heeresleitung ein zentrales Produktionsorgan her.

Im April erst hatte man ein Bild- und Filmamt (Bufa) eingerichtet, das koordinierende Funktionen hatte: die Versorgung von Filmen im In- und Ausland zu regeln, den Einsatz von Feldkinos zu organisieren, die Zensur zu überwachen.

Jetzt stand der nächste Schritt an.

Den Teilnehmern jener Berliner Mai-Konferenz wird der Inhalt eines Briefes aus der Seele gesprochen haben, den Generalfeldmarschall Erich Ludendorff zwei Monate später ans Kriegsministerium richtete und in dem er seine Position klarmachte: »Der Krieg hat die überragende Macht des Bildes und Films als Aufklärungs- und Beeinflussungsmittel gezeigt. Leider haben unsere Feinde den Vorsprung, den sie auf diesem Gebiet hatten, so gründlich ausgenutzt, daß schwerer Schaden für uns entstanden ist. Auch für die fernere Kriegsdauer wird der Film seine gewaltige Bedeutung als politisches und militärisches Beeinflussungsmittel nicht verlieren. (...)

Gerade aus diesem Grund ist für einen glücklichen Abschluß des Krieges unbedingt eine Vereinheitlichung der deutschen Filmindustrie notwendig.«

Im Oktober 1917 tagte, abermals im Kriegsministerium, eine weitere Beratungsrunde, die die schnellstmögliche Gründung eines Filmkonzerns empfahl – was dann am 18. Dezember 1917 unter Beteiligung eines Banken- und Industriekonsortiums und dem Titel *Universum Film AG* tatsächlich geschah.

Die Ufa ist also ein Kriegskind, hervorgegangen aus einer Zweckverbindung von Großkapital und Staat, dem es ums politische wie militärische Überleben ging.

Dies erklärt zum einen das Tempo, in dem die Gründung vollzogen wurde, zum anderen macht es verständlich, warum die sonst so konservativen Kreise des kaiserlichen Deutschland alle Vorbehalte über Bord warfen und einhellig in das neue Medium Film investierten.

Freilich war mit dem Krieg bald nicht länger Staat zu machen: Als Mitte August 1918 bei Soissons die deutsche Westfront zusammenbrach und sich die Niederlage abzeichnete, wurde nicht etwa – wie 25 Jahre später – die Verfilmung von Durchhalteparolen in Auftrag gegeben, sondern rasch eine Anpassung ans geänderte Zuschauerinteresse vollzogen: war doch beim deutschen Kinopublikum der Krieg lange vor Versailles passé.

Entsprechend geschlagen gab sich der Aufsichtsrat der Ufa, als er im Sommer 1918 die Verlagerung der Produktion von der propagandistischen auf eine künstlerische Ebene beschloß.

Der junge Konzern hatte ja nicht nur eine vaterländische Aufgabe zu erfüllen, sondern sollte schließlich auch Gewinne einfahren.

Kaum vernehmbar schlug damit die Stunde der Stars.

Nicht, daß es vor der Ufa keine gegeben hätte.

Henny Porten etwa, die, 17jährig, 1906 in einem ›Biophon-Ton-

Henny Porten genießt ihr luxuriöses Leben. (Aus: *Mutter und Kind,* 1924)

bild‹ zum erstenmal zu sehen war und seither pro Jahr durchschnittlich 15 Filme drehte.

Oder die junge Dänin Asta Nielsen, die 1910 von der Deutschen Bioscop nach Berlin geholt worden war, um sie hier in acht bis zehn Filmen jährlich zu beschäftigen.

Oder Paul Wegener, der 1913 mit seinem Debüterfolg *Der Student von Prag,* besonders aber mit seinem *Golem* (1914) international bekannt wurde.

Sie waren die frühen Größen des deutschen Films, seine *Stars* eben – ohne daß dieser Begriff schon die Bedeutung hatte, die er wenig später bekommen sollte.

Der Kult hielt sich in Grenzen, beschränkte sich auf die Hervorhebung des Namens (»HENNY PORTEN in fünf verschiedenen Rollen!«) oder auf Postkartenportraits, wie es sie von bekannten Bühnenschauspielern auch gab.

Dies änderte sich bald nach Gründung der Ufa, als dank der Konzentration nicht nur die Produktionsetats der in ihr zusammenge-

faßten Gesellschaften stiegen, sondern auch deren Abspielmöglichkeiten: Schließlich gehörten der Ufa neben Ateliers jetzt auch
reihenweise Kinos – allein 56 von dem in ihr aufgegangenen
»Union-Konzern« Paul Davidsons.

Mit den Budgets stieg der Aufwand, stiegen die Gagen auf ein Ni-
veau, das sich mit Hollywood messen konnte.

Lubitsch begann 1918 mit seiner Reihe von ›Großfilmen‹ *(Die Augen der Mumie Mâ, Carmen, Madame Dubarry)*, die international
erfolgreich verwertet wurden und Namen wie Pola Negri oder
Emil Jannings bis nach Amerika bekannt machten.

Schon beklagte ein Branchenblatt den galoppierenden Anstieg der
Spitzengagen und verdammte das ›Star-System, das noch über das
der Opernprimadonnen geht!‹

Doch die Entwicklung war nicht mehr zu bremsen.

Trotz Geldentwertung und allgemeiner Wirtschaftsmisere hoffte
die Ufa mit ihren Filmen Kasse zu machen und setzte auf Expan-
sion.

Nachdem 1921 der Staat seine Beteiligung zurückgezogen hatte
(dessen Anteile von der Deutschen Bank übernommen wurden),
verleibte man sich im Jahr darauf die Decla-Bioscop ein, bekam
damit nicht nur deren Babelsberger Studiogelände, sondern band
auch Regisseure wie F. W. Murnau, Fritz Lang oder Robert Wiene an den Konzern.

Ihre Filme wurden von einem Mann produziert, der mit der Fu-
sion ebenfalls an die Ufa gegangen war und in den kommenden
Jahren als Herstellungschef zum kreativen Motor der Ufa wurde:
Erich Pommer holte die besten Regisseure, Schauspieler, Kame-
raleute und Architekten nach Babelsberg, er entdeckte junge Talente und schaffte vor allem den Ausgleich zwischen kommerziellen und künstlerischen Interessen.

Unter Pommer, der im Februar 1923 zur Ufa stieß, entstanden
Murnaus *Der letzte Mann* (1924), *Tartüff* (1925) und *Faust* (1926),
Fritz Langs (zweiteilige) *Nibelungen* (1922/24), *Metropolis* (1926)
und E. A. Duponts *Varieté* (1926): von heute aus gesehen alles
Klassiker des deutschen Stummfilms, die damals den Weltruf der
Ufa begründeten.

Unter Pommer wuchs die Belegschaft der Ufa auf 4000 Mitarbeiter, wurde die mit 8000 Quadratmetern damals größte Atelierhal-
le Europas gebaut – und die Karriere einer Reihe von Namen ge-
fördert, die bald (z. T. ebenfalls dank Pommer) in Hollywood lan-
den konnten: von den Regisseuren etwa F. W. Murnau, E. A. Dupont und Fritz Lang, von den Schauspielern Emil Jannings, Conrad Veidt und Lya de Putti.

Unterwegs in eigener Sache: Emil Jannings, der erste Weltstar der Ufa.

Jannings war der Favorit. Wo immer es ging, wurde er von Pommer in Hauptrollen besetzt *(Der letzte Mann, Varieté, Tartüff)*. Er gehörte schon in den zwanziger Jahren zu den Berühmtheiten des deutschen Kinos. Er hat, bis auf seinen dreijährigen Hollywood-Ausflug, die Wechselfälle der Ufa von Anfang bis zum bitteren Ende als ihr Protagonist miterlebt und -gestaltet. Insofern trägt seine Laufbahn exemplarische Züge.

Jannings hatte (wie viele prominente Stummfilmdarsteller) nie eine geregelte Schauspielausbildung erhalten. Er hatte die Schule vor dem Abitur verlassen und als Schiffsjunge angeheuert, ehe er als Kleindarsteller an Provinz- und Wanderbühnen erste Erfahrungen sammelte. 1914 kommt er nach Berlin, wo er Max Reinhardt begegnet, der ihm an seinem Theater eine Chance gibt. Er hat zunächst kleine Auftritte, probiert mal eine eigene Inszenierung und ist zwei Jahre später so weit, die Hauptrolle in Gerhart Hauptmanns ›Der Biberpelz‹ zu spielen.

Nebenher drehte er Filme, meist schnell heruntergedrehte Melodramen, die ihm, wenn er mal nicht so gut gewesen war, die Möglichkeit ließen, es das nächste Mal besser zu machen: *Learning by doing* hieß die Methode. Das *doing*, d. h. die regelmäßige Praxis, war gewährleistet und führte schon bald zu den ersten Erfolgen.

Einer, der junge, unverbildete Talente pflegte, der ihnen Raum zum Experimentieren gab, weil er seine ganze Arbeit als Experiment verstand, war *Max Reinhardt.*

Viele der später bedeutendsten Ufa-Stars kamen durch seine Schule oder über sein Theater zum Film. Er verband so unterschiedliche Namen wie Willy Fritsch, Otto Gebühr, Paul Wegener, Hans Moser, Brigitte Horney, Marianne Hoppe oder Ilse Werner. Reinhardt war der erste Theatermacher, der keine Berührungsängste zum neuen Medium hatte, das in seiner Frühphase bekanntlich von weiten Teilen des Bildungsbürgertums geschnitten wurde. Er probierte filmische Formen auf der Bühne aus (die er als Kinoregisseur kennengelernt hatte) und sorgte für einen beständigen Transfer an Bühnenschauspielern zum Film.

Die enge Beziehung zwischen Sprechtheater und Kino (wie sie etwa durch Gründgens verkörpert wurde) kam freilich erst beim Tonfilm zustande.

Der Stummfilm mit seiner Gebärdensprache benötigte Darsteller, die nicht unbedingt theatererprobt sein mußten.

Anmut, ein markantes Aussehen oder akrobatische Fähigkeiten gaben Menschen vom Varieté oder Zirkus (etwa dem ›Sensationsdarsteller‹ Harry Piel) ebenso die Möglichkeit sich einzubringen wie Laien.

Mochte auch Henny Porten während eines Films in fünf verschiedenen Rollen auftreten: verlangt wurde nach wie vor ein bestimmter *Typ.*

Bei den Herren waren dies im ersten Jahrzehnt der Ufa auffällig viele Bösewichter, abgründige, gespaltene Naturen. Es war die Zeit der dämonischen Leinwand, in der, als Folge von verlorenem Krieg, Revolution und Wirtschaftskrise, die gesellschaftliche Schräglage von Figuren wie Dr. Caligari oder Dr. Mabuse personifiziert wurde.

Das Bedrohliche, Böse wurde zum verbreiteten Charakterfach, schmale, neurasthenische Gestalten wie Albert Bassermann, Reinhold Schünzel oder Conrad Veidt übten eine unheimliche Faszination auf ihr Publikum aus. Die obligatorischen dunklen Ringe unter den Augen dienten nicht nur dazu, dem schwach auflösenden Filmmaterial schärfere Kontraste abzutrotzen, sondern signalisierten auch den dekadenten Schick großstädtischer Laster wie Morphinismus oder sexuelle Perversion. Zur Etablierung dieses Darstellertyps trugen die Sexual- und Sittenfilme bei, die 1918, nach Aufhebung der Zensur, vorübergehend den Markt überschwemmten und selten ohne Schurken auskamen, welche zarte Jungfrauen schändeten, nachdem sie sie zum Drogengenuß verführt hatten.

Natürlich bestanden daneben auch traditionelle Rollenbilder weiter, gab es ebenso den jugendlichen Liebhaber (Harry Liedtke), den Grandseigneur (Theodor Loos) oder Beau (Paul Richter), doch ging von ihnen weniger jene magische Wirkung aus, die den Stummfilm insgesamt kennzeichnet.

Selbst Albers, der strahlende Held der dreißiger Jahre, war in seinen frühen Rollen häufig negativ besetzt: als gerissener Gauner, Zuhälter oder Hochstapler.

Unter den Damen setzte sich bis Mitte der zwanziger Jahre ein neues Frauenidol durch.

Henny Porten, die während des Krieges vorbildlich die Tugenden der deutschen Gefährtin und Mutter verkörpert hatte, die stets magersüchtig wirkende Asta Nielsen oder die theatralische Pola Negri bekamen Gesellschaft durch leichtfüßigere Kolleginnen.

Sie trugen nicht lange geflochtene Zöpfe, sondern Pagenfrisuren; selbstbewußt bewegten sie ihre zierlichen Körper; ihr Charme war keß und unverbindlich, daher gefährlich.

Sie hießen Ossi Oswalda, Lya de Putti oder Lola Negro.

Sie waren sehr jung und zeigten es.

Sie tanzten lieber Charleston als Walzer und fühlten sich eher als *girls* denn als Damen.

Natürlich entsprach diesen Idolen ein veränderter Frauentyp in der Gesellschaft, geprägt durch weiblichen Berufsalltag und Emanzipation, geprägt aber auch durch die Vorbilder von Modezeitschriften und amerikanischen Filmen, die in Deutschland, trotz Kontigentierung, den Markt beherrschten.

Dieser Konkurrenz die Stirn zu bieten, war Anfang der zwanziger Jahre Ehrgeiz der Ufa-Oberen gewesen.

Knapp fünf Jahre später aber wurde klar, daß man sich übernommen hatte.

Nachdem einige Großprojekte wie *Die Nibelungen* oder *Metropolis* den Ruhm des deutschen Films zwar gemehrt, aber keine Kasse gemacht hatten, rutschte der Konzern 1925 in seine bisher schwerste Finanzkrise.

Die Ausmaße waren groß, denn eine Anleihe in Höhe von 15 Millionen Reichsmark brachte nur vorübergehend Linderung. So bat man die Konkurrenz um Hilfe. Für die Gewährung eines längerfristigen Darlehens wurde mit Paramount und MGM eine gemeinsame Verleihfirma (Parufamet) gegründet, die auf Gegenseitigkeit funktionieren sollte, in Wirklichkeit aber vor allem den Amerikanern Vorteile brachte, weil die Ufa 75 Prozent der Spieltermine ihrer eigenen Kinos für US-Filme freihalten mußte (die voll genutzt wurden), während umgekehrt sehr viel weniger Ufa-Produktionen ihren Weg über den Atlantik machten.

Man hatte sich schlecht verkauft – obwohl es unter den gegebenen Bedingungen wenig zu fordern gab: Die Verluste des Konzerns waren im Geschäftsjahr 1925 auf 50 Millionen angewachsen.

Ein schwäbischer Banker namens Bausback wird zum neuen Chef ernannt. Er steuert einen eisernen Sparkurs, macht es, bar jeder Fachkenntnis, prominenten Mitarbeitern leicht, sich anderweitig zu orientieren. Murnau und Dupont ziehen nach Hollywood, von den Schauspielern sind es Emil Jannings, Conrad Veidt und Lya de Putti. Und Anfang 1926 verläßt auch Erich Pommer Babelsberg.

Vor dem Aus droht der Ufa der Absturz in die Mittelmäßigkeit. Im Lauf des Jahres werden mehr als 1000 Mitarbeiter entlassen, wird die Produktion gedrosselt. Die Premieren von Murnaus *Tartüff* und *Faust* gelten Filmen, die, noch im Jahr zuvor begonnen, ebenfalls kein Geschäftserfolg werden.

Ende 1926 steht die Konzernleitung vor der Entscheidung: Konkurs oder Verkauf. Man entscheidet sich für letzteres.

Hugenberg tritt auf den Plan. Die Verhandlungen beginnen im März 1927 und dauern keine vier Wochen, dann gehört die Ufa dem rechtskonservativen Pressezaren.

Modernes Filmgirl der späten zwanziger Jahre: Lya de Putti.

Hugenberg und sein Freund Klitzsch, den er zum Chef ernennt, sind Medienprofis – keine Sparkassendirektoren.

Der eine kommt von der Zeitung, der andere von der ›Deulig‹, wo er sich fürs nationale Filmgut stark machte.

Sie wissen, wie man die Massen anzieht und beeinflußt. Das eine besorgt die Unterhaltung, das andere die Propaganda. Diese Doppelstrategie verfolgen sie von früh an, wenn auch nicht halb so konsequent wie ihr Nachfolger Goebbels.

Einen Vorgeschmack auf dessen Zuckerbrot-und-Peitsche-Taktik konnten die Ufa-Mitarbeiter aber schon bald erleben: Zunächst setzte Klitzsch noch radikaler den Rotstift an als seine Vorgänger. Sämtliche Produktionsetats und Drehzeiten wurden von ihm persönlich kontrolliert. Der Fall, daß, wie bei *Metropolis,* ein Projekt auf eineinhalb Millionen budgetiert wurde und dann das Vierfache kostete, durfte sich nicht wiederholen.

Klitzsch sparte und rationalisierte, wo es nur ging: Die Firmenzentrale im ›Haus Vaterland‹ siedelte in eine billigere Lage über, Grundstücke wurden verkauft, unrentable Auslandsfilialen geschlossen, weitere Angestellte entlassen.

Das Zuckerbrot brachte Klitzsch von zwei USA-Reisen mit: Nach der ersten hatte er es geschafft, die schikanösen Verträge mit den Amerikanern zu revidieren bzw. ganz zu lösen (so sanken die Terminverpflichtungen der Ufa-Kinos gegenüber den US-Partnern von 75 auf 25 Prozent).

Nach der zweiten Reise von Klitzsch kehrte Erich Pommer zur Ufa zurück, wo er künftig Verantwortung für eine eigene Produktionstochter trug und damit stärker in die Pflicht genommen wurde. (Künstlerisches) Zuckerbrot bedeutete auch, daß 1928 auf so ambitionierte Filme wie Joe Mays *Asphalt* oder Fritz Langs *Spione* gesetzt wurde, in denen einige vielversprechende Talente mitwirkten: Gustav Fröhlich, Willy Fritsch und, in Nebenrollen, Hans Albers oder Paul Hörbiger.

Die Premieren dieser beiden Renommierprojekte im Frühjahr 1929 signalisierten das Ende einer Epoche: Im gleichen Frühjahr ordnete Hugenberg die Herstellung von Tonfilmen an, von denen im Sommer der erste gezeigt werden konnte *(Gläserne Wundertiere).*

Doch vor dem Start in die neue Ära schien Optimismus angebracht. Die Firma stabilisierte sich, war, wenn auch in bescheidenem Umfang, Marktführerin geworden und tat etwas für die Zukunft: Nach fünfmonatiger Bauzeit wurde Ende September in Babelsberg mit dem ›Tonkreuz‹ ein riesiges, aus vier kreuzförmig angeordneten Hallen bestehendes Tonfilmatelier eingeweiht.

Teilansicht des Tonkreuzes in Babelsberg.

Das war sicher nicht verfrüht, denn in den USA liefen bereits seit Herbst 1927 Tonfilme, die auf den deutschen Markt drängten, ohne daß es dafür Abspielmöglichkeiten gab.

Doch auch von europäischer Seite drohte Konkurrenz durch die 1928 gegründete Tobis, die Kurztonfilme produzierte – bis dahin allerdings nur für einige speziell ausgerüstete Berliner Kinos.

Erst das Ja der Ufa zur neuen Technik brachte den Durchbruch auf breiter Ebene. Mit den neuen, vierfach belegbaren Babelsberger Studios und dem konzerneigenen Theaterpark an der Hand vollzog sich die Umstellung rasch: 1930 waren bereits zwei Drittel der deutschen Jahresproduktion Tonfilme.

Sieht man von den arbeitslos gewordenen Erklärern und Kinomusikern ab, so brachte der Beginn der neuen Ära keinem Berufsstand so gravierende Folgen wie den Schauspielern.

Einem wie Emil Jannings fiel die Umstellung leicht.

Obwohl er sich in Hollywood bestens eingeführt und 1928 den ersten überhaupt vergebenen Oscar erhalten hatte, kehrte er im Frühjahr 1929 nach Berlin zurück.

In den USA, wo er den Siegeszug des Tonfilms mitbekam, hätte er wegen seines schlechten Englisch nur noch eingeschränkt weiterarbeiten können. Mit der Neuerung selbst gab es keine Probleme. Kurz nach seiner Heimkehr engagierte ihn Josef von Sternberg für die Hauptrolle des Professors Rath in *Der Blaue Engel*. Als Bühnenschauspieler mit dem Einsatz sprachlicher Mittel vertraut, gelang ihm nicht nur der reibungslose Einstieg in den Tonfilm, sondern auch, nach dreijähriger Abwesenheit, ein triumphales Comeback. Und obwohl ihm im *Blauen Engel* die Show von Marlene Dietrich gestohlen wurde (die nur ein Zehntel seiner Gage erhielt), konnte er sich seinen Ruf als prominentester deutscher Schauspieler auch im Tonfilm erhalten.

Schwer dagegen hatte es beispielsweise eine Kollegin von Jannings, die zu den großen Namen der zwanziger Jahre gehört hatte, jetzt aber ihren Niedergang erlebte: Ossi Oswalda war der temperamentvolle Star in einem Dutzend früher Lubitsch-Komödien gewesen, ehe sie 1925 von der Ufa unter Vertrag genommen wurde. Sie verzückte das Publikum durch ihre Tanzeinlagen in extravaganten Kostümen, verdrehte Willy Fritsch oder Harry Liedtke den Kopf – und strauchelte mit ihrer schrillen Art vor den Anforderungen des Tonfilms. In zwei Produktionen ist sie nach 1930 noch zu sehen – jeweils die artistische Einlage –, dann verblaßt ihr Stern. 1948 stirbt sie, völlig verarmt, in Prag.

Die Einführung des Tonfilms bedeutete also einen Einschnitt, der mit einer gründlichen Wachablösung an Stars einherging.

Viele bisherige Größen gerieten in Vergessenheit (Fern Andra, Lya de Putti, Asta Nielsen) oder traten ins zweite Glied zurück (Harry Liedtke, Henny Porten, Pola Negri).

Die meisten der bis heute bekannten, ›klassischen‹ Ufa-Stars aber verdanken ihren Aufstieg dem Tonfilm.

Hans Albers etwa war seit 1917 in Dutzenden von kleineren und mittleren Rollen aufgefallen, ehe er als Kraftakt Mazeppa im *Blauen Engel* seine (physische) Wirkung durch die schnoddrige Natürlichkeit seiner Sprache verdoppeln konnte.

Auch das Organ eines Willy Fritsch klang genau so, wie man sich die Stimme des blonden Sonnyboy in Filmen wie *Die keusche Susanne* (1926) oder *Spione* (1928) vorgestellt haben mochte. Ob Lilian Harvey ihr glockenhelles Lachen hören ließ oder Hans Moser sein unvergleichliches Nuscheln: erst durch den Ton wuchsen diese Darsteller auf ihr eigentliches Format. Vollends zu Idolen wurden sie durch ihren Gesang. Und gesungen wurde viel in den frühen Tonfilmen. So viel, daß plötzlich ein neues Genre entstand: die Filmoperette.

Mit *Melodie des Herzens* (ihrer ersten Tonfilmproduktion) hatte die Ufa im Dezember 1929 den Anfang gemacht: Willy Fritsch, der als kleiner ungarischer Husar auf ein eigenes Pferd spart, singt (neben weiteren neun Musiknummern) »Bin kein Hauptmann, bin kein großes Tier«.

Das Melodram endet verhalten: Fritschs Geliebte (Dita Parlo) geht ins Wasser, nachdem er entdeckt hat, daß sie im Freudenhaus arbeitet.

Von da an wurde es beschwingter: In Titeln wie *Liebeswalzer* (1930), *Die Drei von der Tankstelle* (1930), *Bomben auf Monte Carlo* (1931) oder *Der Kongreß tanzt* (1931) siegte Operettenselig-

Der Tonfilm brachte sie beide nach oben: Hans Albers und Marlene Dietrich in der Musikrevue *Zwei Krawatten* (1929).

Willy Fritsch hilft dem Osterhasen.

keit, wurde die Musik zum Star. Und die Stars begleiteten ihr Publikum auf dem Nachhauseweg mit »Ein Freund, ein guter Freund ...« oder »Das gibt's nur einmal, das kommt nie wieder ...«. Seit der Weltwirtschaftskrise verkörperten diese Stars eher den Typ des guten Kumpels oder des netten Fräuleins von nebenan, wie er von Willy Fritsch und Lilian Harvey vertreten wurde. Extravagante, mondäne Halbgötter und unerreichbare Diven hatten fürs erste ausgedient. Gefragt waren praktische Vorbilder, Wegbegleiter in schwieriger Zeit.

Willy Fritsch war ein solcher Alltagsheld, und er stärkte in dieser Eigenschaft nicht nur das bessere Ich des kleinen Mannes, sondern wurde in den letzten Jahren der Republik zum Prototyp des männlichen Ufa-Stars. Das liegt zum einen an seiner permanenten Präsenz in jährlich bis zu vier Erfolgsproduktionen, zum anderen auch an den PR-Maßnahmen, die die Ufa mit Fritsch bestritt.

1927 hatte der Konzern damit begonnen, sich ein einheitliches Erscheinungsbild zuzulegen: Vom Firmenemblem über die grafische Gestaltung von Anzeigen, Plakaten und Programmheften bis zur Uniform der Platzanweiser in den Ufa-Theatern oblag alles einer von oben bestimmten *corporate identity.*

Ein Rauschgoldengel ist gelandet. Lilian Harvey in den dreißiger Jahren.

Davon blieben auch die Stars nicht verschont, die schließlich ein bestimmtes Produkt repräsentierten.

Wenn einer, wie Fritsch, zu den Top-Beschäftigten gehörte, durfte er zusätzlich zu seiner Jahresgage von 200.000 Mark noch mit einem monatlichen Kleiderzuschuß rechnen. Andererseits wurde ihm jeder seiner Auftritte genau vorgegeben, was sich folgendermaßen anhörte: »Das Fotografierenlassen zum Zwecke der öffentlichen Verwendung oder des öffentlichen Vertriebes sowie aktive Teilnahme an öffentlichen Veranstaltungen sind Fritsch nur mit Zustimmung der Ufa erlaubt.«

In solchen Details zeigte sich, daß man nicht nur seit den gemeinsamen Tagen der Parufamet von den Amerikanern gelernt hatte, sondern Konkurrenzfähigkeit beanspruchte.

Seit Einführung des Tonfilms wurden von vielen Ufa-Produktionen englische und französische Versionen hergestellt und die Exportchancen durch den Einsatz ausländischer Filialen zu verbessern gesucht.

Mit Erfolg.

Die Drei von der Tankstelle wurde in Frankreich, England und Spanien zum Saisonhit, übertroffen noch von *Der Kongreß tanzt.* Die Filmoperetten der Ufa sind plötzlich international gefragt. Verantwortlich für diese Konjunktur ist Erich Pommer, der das Genre kultiviert und (u. a. durch seine Hollywood-Erfahrung) den Ausgleich zwischen künstlerischen und kommerziellen Projekten schafft.

Unter Pommer entstehen Ufa-Operetten *(Liebeswalzer, Die Drei von der Tankstelle, Der Kongreß tanzt),* Komödien *(Ein blonder Traum* und *Ich bei Tag und du bei Nacht)* und Sensationsfilme *(F. P. 1 antwortet nicht).* Pommer setzt aber auch auf den Nachwuchs, ermöglicht den Einstieg des jungen Robert Siodmak bei der Ufa, dessen elegisches Portrait einer Gruppe von Dauerpensionsgästen mit dem Titel *Abschied* (1930) sicher nicht das große Geschäft bringt, der aber die Firma um ein vielversprechendes Talent bereichert, das seine Fähigkeiten in den nächsten Filmen unter Beweis stellen kann: etwa in *Der Mann, der seinen Mörder sucht* (1931) mit Heinz Rühmann oder dem Albers-Film *Quick.*

Bestärkt wird Pommer durch Ludwig Klitzsch, der ihm vertraut und selbst ständig nach kreativen (und attraktiven) Mitarbeitern Ausschau hält.

So beschert dieses Klima aus Unternehmergeist, künstlerischem Anspruch und Innovationswille der Ufa eine fruchtbare, fast glückliche Phase.

Die Produktion boomt: Von 18 verfügbaren Ateliers der Ufa blei-

22

ben in den Jahren 1931/32 lediglich drei unvermietet. Das Auslandsgeschäft floriert, und auch im Inland strömen die Menschen in die Kinos, um in Ufa-Filmen wie *Der Sieger* oder *Es wird schon wieder besser* den drückenden Alltag zu vergessen. Es ist die Stunde der sprechenden und singenden Stars, die nicht nur im Kino, sondern auch auf Platten und im Radio mit ihren Lieder präsent sind und ihre gesteigerte Popularität genießen.

Trotz der Flut von Musikfilmen ist das Angebot vielfältig.

Es gibt Unterhaltsames: Gesellschaftskomödien, Krimis und Abenteuerfilme.

Daneben aber auch Patriotisches wie *Yorck* (1931) oder *Der schwarze Husar* (1932) – übrigens die beiden einzigen ›nationalen‹ Produktionen der Ufa in den Jahren 1931/32, was der gängigen Auffassung widerspricht, die Ufa unter Hugenberg habe Hitler programmpolitisch den Weg bereitet.

Es sind vielmehr leichte bis frivole Genres, die in der Endphase der Weimarer Republik das Gesicht der Ufa prägen.

Zwei Jannings-Filme sind dafür symptomatisch. Im Anschluß an *Der Blaue Engel* drehte er *Liebling der Götter* (1930), eine melodramatische Musikkomödie um einen verheirateten Kammersänger, der den Reizen seiner zahlreichen Verehrerinnen nicht widerstehen kann und deshalb, quasi als Strafe einer höheren Instanz, seine Stimme verliert. Auf sich gestellt, findet er erst an der Seite seiner treu ergebenen Frau (Renate Müller) zum Gesang zurück. Marcel Wittrisch sang (für Jannings) »Ich bin ja so vergnügt«.

Die Erich-Pommer-Produktion *Stürme der Leidenschaft* (1932) von Robert Siodmak variiert noch mal das Drama des hörigen Mannes, der an einer *femme fatale* zugrunde geht: ein Film aus dem Milieu Berliner Sparvereine, in dem Jannings als haftentlassener Panzerknacker zu spät merkt, daß seine Braut längst mit anderen Männern fremdgeht.

Auch hier wurde (nach der Musik von Friedrich Holländer) gesungen und einiges hergezeigt, denn der Film (der auch *Die große Nummer* hieß) wurde in England von der Zensur wegen seiner Freizügigkeit erst nach größeren Schnittauflagen freigegeben. »Alles in allem ein technisch und darstellerisch gelungener, blitzsauberer Publikumsfilm«, befand dagegen die deutsche *Filmwoche* in ihrer Beurteilung.

Am 31. Januar 1933 findet in Essen die Uraufführung eines Ufa-Filmes statt, der kaum dieser Kategorie entspricht: Gustav Ucickys *Morgenrot.*

Am Abend zuvor war in Berlin Hitler zum Reichskanzler ernannt worden, ein Mann, der sich nach allgemeiner Überzeugung ebensowenig halten würde wie seine vielen Vorgänger in dieser krisengeschüttelten Zeit.

Morgenrot erzählt vom heldenhaften Kampf einer U-Boot-Besatzung gegen britische Zerstörer während des Ersten Weltkrieges, von Mut, Kameradschaft und Opfergeist deutscher Marinesoldaten, die Sätze wie »Zu leben verstehen wir Deutschen vielleicht schlecht, aber sterben können wir jedenfalls fabelhaft« im Munde führen.

Weder der symbolträchtige Titel noch das Premierendatum dieses ›nationalen Erbauungsfilms‹ konnten nach den politischen Ereignissen in Berlin abgestimmt worden sein.

Der Zufall wurde vielmehr von Hitler und seinem designierten Propagandaminister Goebbels blitzartig für die eigene Sache genutzt, so daß die von Mitgliedern der neuen Reichsregierung (unter ihnen Hugenberg, der Hitlers Kabinett angehörte) zwei Tage später besuchte Berliner *Morgenrot*-Premiere den Charakter einer offiziellen Feierstunde bekam.

Ohne daß es beabsichtigt war, wurde *Morgenrot* zur filmischen Ouvertüre des Dritten Reichs.

Obwohl das Kabinettsmitglied Hugenberg in seiner Funktion als Wirtschafts- und Ernährungsminister mit den Medien direkt nichts zu tun hatte, wurde schnell spürbar, daß zwischen Deutschlands neuen Machthabern und seinem größten Filmkonzern die Wege kurz waren. Die Ufa, schon immer staatstragend, war bemüht, es dem braunen Staat – im Gegensatz zu dem von Weimar – besonders recht zu machen.

Dies hatte schon zwei Monate später erste Folgen: In einem Vorstandsbeschluß vom 29. März 1933 entledigte sich die Ufa »infolge der nationalen Umwälzung in Deutschland« ihrer jüdischen Mitarbeiter. Sofern sie nicht wie Fritz Lang, Billy Wilder oder Peter Lorre bereits unmittelbar nach der Machtergreifung geflohen waren, betraf diese Maßnahme Regisseure wie Eric Charell *(Der Kongreß tanzt),* Komponisten wie Werner Richard Heymann oder Produzenten wie Erich Pommer. Für die beiden letztgenannten sollten wegen ihres großen Wertes (und, wie es bei Heymann hieß, aus »Rücksicht auf seinen anständigen Charakter«) Sonderregelungen gefunden werden. Beide ließen sich darauf nicht ein und emigrierten sofort.

Die Entscheidung des Konzerns war ein Akt vorauseilenden Gehorsams, denn erst im Sommer des gleichen Jahres wurde durch die Schaffung der Reichsfilmkammer eine staatliche Verordnung zum Ausschluß jüdischer Filmschaffender nachgereicht.

Der Ufa-Beschluß vom 29. März wollte auch nicht recht zu der

Nach Hitlers Machtergreifung sank auch ihre Auslastung: die große Halle in Babelsberg.

Rede passen, die Goebbels als frisch bestallter Minister für Volksaufklärung und Propaganda tags zuvor im Hotel Kaiserhof gehalten hatte und in der er unter Aufbietung seines ganzen Charmes die Sorgen der verunsicherten Filmindustrie zu zerstreuen suchte. Durch ein flammendes Bekenntnis zur Freiheit der Kunst, durch Querverweise auf beispielgebende sowjetische und amerikanische Produktionen *(Panzerkreuzer Potemkin, Anna Karenina)*, durch sein persönliches Credo zu einem Kino »ohne Gesinnung«.

Diese Einseifaktion war nötig geworden, nachdem die Produktion in den Monaten nach Hitlers Machtergreifung drastisch zurückgegangen war und nur noch rund ein Drittel der zur Verfügung stehenden Ateliers genutzt wurde. Auch die Ufa ist verunsichert: Welche Filme sind im Zeichen der ›nationalen Erhebung‹ überhaupt erwünscht?

Auf jener Vorstandssitzung vom 29. März einigt sich die Ufa-Spitze erst mal auf den kleinsten gemeinsamen Nenner und gibt einen Kulturfilm über Deutschland in Auftrag, da das Publikum in nächster Zeit großen Wert lege auf Produktionen mit »rein deutschem Charakter«.

Mit *Hitlerjunge Quex,* der im Sommer 1933 fertiggestellt wurde, versuchte die Ufa dann auch auf dem Spielfilmsektor, dem Nazistaat ihren Tribut zu entrichten.

Gemessen an anderen Beispielen des gleichen Genres *(SA-Mann Brand, Hans Westmar)* zeichnete sich Hans Steinhoffs Portrait eines Hitlerjungen im Kampf gegen die Kommunisten (allen voran gegen den eigenen Vater, gespielt von Heinrich George) durch professionelle Schauspieler und gekonnte propagandistische Effekte aus.

Doch trotz (oder vielleicht gerade wegen) entsprechender Pressekampagnen der Nazis wurden diese Filme vom Publikum gemieden. »Man merkt die Absicht und ist verstimmt«, kommentierte Goebbels, der u. a. deshalb das Horst-Wessel-Epos *Hans Westmar* (1933) vor dem Start zurückziehen ließ, bis die Verweise auf den wirklichen Horst Wessel getilgt waren.

Um seine filmpolitischen Vorstellungen durchsetzen zu können, verfügte Goebbels ab Sommer 1933 eine Reihe von Maßnahmen, die die Branche Zug für Zug unter seine Herrschaft brachten: Im Juni wurde mit Gründung der Filmkreditbank ein Kontrollorgan geschaffen, das nicht nur die Finanzierung sicherstellte, sondern auch nur solche Produktionen zuließ, die den herrschenden Normen entsprachen. Ergänzt wurden diese Maßnahmen durch die Errichtung der für Filmschaffende obligatorischen Reichsfilmkammer, die jüdische und andere ungewollte Kollegen ausgrenzte. Es folgte im Februar 1934 die Novellierung des Lichtspielgesetzes, das neben der Ausweitung staatlicher Vorzensur eine vom Propagandaministerium eingesetzte Filmprüfstelle vorsah, sowie, ab 1936, die Abschaffung der Filmkritik zugunsten von »Kunstbetrachtungen« nach vorgegebenen Sprachregelungen.

Goebbels' Gleichschaltungspolitik erreichte mit der im März 1937 vollzogenen Verstaatlichung der Filmindustrie ihren vorläufigen Höhepunkt. Diese betraf neben Terra, Tobis und Bavaria auch und vor allem die Ufa.

Widerstand von ihrer Seite unterblieb. Die Konzernspitze hatte sich früh genug dem Regime angedient, jetzt beschränkte sie sich darauf, den Druck des Propagandaministeriums an die ausführenden Stellen weiterzugeben und vielleicht hie und da vermittelnd gegen allzu große Willkür einzuschreiten.

Ansonsten war man froh, daß das wirtschaftliche Risiko vom Staat mitgetragen wurde. Das betraf auch die Verluste, die seit 1933 nicht zu knapp ausfielen.

Denn weil einerseits ausländische Verleiher Nazideutschland boykottierten, andererseits Goebbels selbst eine Autarkiepolitik betrieb, sank das Exportgeschäft.

Die Ufa und die gesamte deutsche Filmindustrie litten unter der Ausblutung, wie sie durch Emigranten und Ausschluß von rund 3000 Filmschaffenden entstanden war.

Goebbels, der den deutschen Film gern auf amerikanische Standards bringen wollte, ließ systematisch nach Ersatz suchen. Auf diese Weise wurde Zarah Leander gefunden und 1937 mit einem großen Werbefeldzug zur Galionsfigur aufgebaut, nachdem Greta Garbo und Marlene Dietrich entsprechende Angebote ignoriert hatten.

Goebbels betrieb aber auch – notgedrungen – Nachwuchspflege. 1938 eröffnete er auf dem Babelsberger Ufa-Gelände die Deutsche Filmakademie.

Veit Harlan, ›Staatsregisseur‹ des Dritten Reiches, zusammen mit seiner Frau Kristina Söderbaum und anderen Mitwirkenden seines Films *Der große König* (1942) bei dessen Premiere in Dresden.

Im Jahr zuvor war ihm ein junger Regisseur aufgefallen, der gemeinsam mit Emil Jannings einen vaterländischen Stoff auf eine Art verfilmt hatte, die sich eher mit seinen Vorstellungen von gutem politischem Kino traf: Veit Harlans Industriellensaga *Der Herrscher* geriet zur Apotheose auf den Führerstaat – ohne daß dies dem Zuschauer, wie zuvor in vergleichbaren Streifen, eingetrichtert worden wäre.

Den nichtsdestoweniger tendenziösen Anteil schrieb Harlan später Emil Jannings zu, der Hauptdarsteller und künstlerischer Oberleiter des Films war.

Nach *Der Herrscher* erkürt Goebbels sich Harlan zu seinem Regisseur, den er mit Zuneigung, Mitteln und bald auch Befehlen eindeckt und der dafür als Gegenleistung Filme dreht, die das Diktat seines Dienstherrn tragen.

»Wer zum Führer geboren ist, der braucht keine Lehrer für sein eigenes Genie«: Solche von Goebbels vorgegebenen Sätze hatte Harlan mit Emil Jannings im *Herrscher* einzustudieren – so wie er später ähnliche Sentenzen in *Jud Süß* oder *Kolberg* sprechen läßt. Und Emil Jannings erlebt mit Führerfiguren, die er ab Mitte der dreißiger Jahre bevorzugt spielt, eine neue Wandlung. Kein Gedanke mehr an degradierte Hotelportiers *(Der letzte Mann),* an gedemütigte Studienräte *(Der Blaue Engel)* oder stimmlose Kammersänger *(Liebling der Götter):* jetzt waren erhabene Persönlichkeiten deutscher Geschichte angesagt, deren Autorität außer Frage stand. Ob als *Robert Koch, der Bekämpfer des Todes* (1939), als *Ohm Krüger* (1940/41) oder als Bismarck in *Die Entlassung* (1942): stets verkörperte Jannings ernste, kämpferische Helden, die gegen alle Widerstände ihren Weg bis zum Sieg gehen.

1938 war Jannings zum Aufsichtsratsvorsitzenden der *Tobis* berufen worden, wo er Chef einer eigenen Herstellungsgruppe wurde. Doch welche Bedeutung hatten schon noch Namen: Mit Verstaatlichung der Filmindustrie schwanden die Eigenheiten der Studios, gehörten sie jetzt doch alle zur gleichen ›Firma‹, für die der Begriff Ufa immer mehr zum Synonym wurde – bis sie bald auch offiziell so hieß.

Die Ufa und der Staat: das wurde schon vor der totalen Gleichschaltung aller Studios, wie sie 1942 vollzogen wurde, als Einheit gedacht.

Produzenten, Regisseure und Stars waren zu Werkzeugen des Regimes geworden, um so mehr, je enger sie sich in dessen Nähe bewegten. Dafür gab es genügend Anlässe.

Ob Hitler zum Tee in die Reichskanzlei bat, ob Goebbels Dreharbeiten in Babelsberg besuchte, zum Sommerfest nach Schwanen-

Unter Goebbels verging ihr das Lachen: Renate Müller wünscht ein glückliches neues Jahr 1936.

werder oder den weiblichen Nachwuchs in sein Teehaus nach Lanke lud: Filmleute waren die liebsten Gäste der Führung. Besonders die weiblichen Stars wurden dazu benutzt, dem männerbündischen Charakter offizieller und halboffizieller Veranstaltungen ein wenig Glamour zu verpassen, der dem politischen Wirken dieser Herren reichlich abging. Die sonst Angst und Schrecken verbreiten mochten, bekamen in Gegenwart hübscher Filmsternchen den Anschein jovialer Ehrenmänner. Hitler und Goebbels, die beide kinoversessen waren, konnten sich so auch ein Bild von den Qualitäten ihrer Gäste jenseits schauspielerischer Leistungen verschaffen und Karrieren befördern – oder bremsen: Renate Müller etwa machte sich Goebbels zum persönlichen Feind, als sie sich ihm widersetzte, der sie dem Führer als Mätresse zuführen wollte; ihre Liaison mit einem jüdischen Freund tat ein übriges.

Dergleichen Kriterien beeinflußten Besetzungsfragen, in die Goebbels laufend hineinredete. Dergleichen Kriterien beeinflußten sicher auch die Erstellung jener Listen, bei denen alle Schauspieler fünf Kategorien zugeteilt wurden, die über ihr Fortkommen entschieden: von »unter allen Umständen ohne zeitliche Vakanz zu besetzen« bis »Einsatz unter keinen Umständen mehr erwünscht«.

Letzteres konnte sich die deutsche Filmindustrie kaum mehr leisten, als im September 1939 der Zweite Weltkrieg begann.

Denn nun kletterte plötzlich der Kinobesuch auf nie dagewesene Höhen.

Bereits im letzten Friedensjahr wurde mit 440 Millionen verkauften Eintrittskarten ein Rekordbesuch ermittelt. 1939 stiegen die Zahlen noch mal um knapp 200 000. Die Menschen stürmten die Kinos.

Trotz der anfangs ermutigenden Frontberichte war diesmal – im Gegensatz zum Ersten Weltkrieg – die Stimmung alles andere als begeistert.

Goebbles, der sich darüber durch die Gestapo berichten ließ, steuerte dagegen und gab Komödien und Unterhaltungsfilmen den Vorrang, denn nach seiner Devise konnten die Deutschen den Krieg nur gewinnen, wenn die gute Laune erhalten blieb. Bei Kriegsende werden leichte Genres fast 50 Prozent der rund 1200 Filme ausmachen, die insgesamt während des Dritten Reiches entstanden.

Im Alltag des Publikums und seiner Idole änderte sich zunächst wenig. Man amüsierte sich bei Marika Rökk oder Heinz Rühmann, ließ sich durch Zarah Leander in ferne Länder entführen oder fühlte sich stark mit dem *blonden Hans* Albers. Noch erschienen die Todesanzeigen der Gefallenen erst vereinzelt, wirkten erste Bombenabwürfe wie eine Attraktion, zu denen Tausende von Schaulustigen pilgerten, um den Prickel des sonst so fernen Krieges kennenzulernen. Doch seit Beginn der Flächenbombardements im Sommer 1942, spätestens aber nach dem Stalingrad-Desaster und der Ausrufung des totalen Krieges im Februar 1943 wurden die Kinos zu Zufluchtsstätten vor einer als immer unerträglicher empfundenen Wirklichkeit.

Nicht nur das Leben des sogenannten kleinen Mannes auf der Straße, der nun täglich mit Tod und Zerstörung konfrontiert wurde, änderte sich, auch die Stars paßten sich der neuen Lage an. Der Krieg mit seinen Entbehrungen bewirkte eine weitere Profanierung ihres Images.

Sie tingelten zur Truppenbetreuung, sammelten auf der Straße fürs Winterhilfswerk und fuhren mit dem Rad oder öffentlichen Verkehrsmitteln zum Dreh.

Obwohl von den Männern die meisten unabkömmlich gestellt wur-

Fahrrad statt Auto. Jungstar Ilse Werner 1942 auf dem Weg ins Studio.

den, weil sie ja – nach einer Definition von Mathias Wieman – als »Filmsoldaten« ihre Pflicht an der Heimatfront leisteten, gab es auch Fälle, in denen Ufa-Größen direkt am Krieg teilnahmen: So wird Heinz Rühmann als Kurierflieger eingesetzt (was die Wochenschau stolz verbreitet), ist der Gefreite Gustaf Gründgens zeitweise in den Niederlanden stationiert.

Im Januar 1942 vollzog Goebbels einen Schritt, der aus der Entwicklung der letzten Jahre fast zwangsläufig folgerte und der den längst entstandenen Realitäten Rechnung trug: Er ließ Ufa, Tobis, Terra, Bavaria und Wien-Film zu einem einzigen Konzern zusammenfassen, der nur noch Ufa hieß.

Unter seiner Herrschaft befanden sich diese Studios ohnehin, jetzt ging es nur noch darum, die totale Gleichschaltung offiziell zu machen – und sie mit dem nötigen Grundkapital von 62 Millionen Mark auszustatten. Der deutsche Film: das war fortan die Ufa.

Vom wirtschaftlichen Aspekt war diese Konzentration rentabel: Durch die kriegsbedingte Ausweitung des Verleihgebietes wurden 1943 mehr als eine Milliarde Kinobesucher gezählt (gegenüber 600 Millionen im Jahre 1939). Waren vor Kriegsbeginn zwischen 70 und 80 Kopien eines Films im Einsatz, so stieg deren Zahl auf bis zu 300 im Jahr des 25. Ufa-Jubiläums.

Die Studios produzierten im vierten Kriegsjahr mit 78 Titeln zwar weniger (1939 waren es 111 gewesen), doch diese Filme wurden viel effektiver vermarktet.

Dennoch wollte keine rechte Feierstimmung aufkommen, als am 3. März 1943 mit der Premiere von *Münchhausen* das 25jährige Ufa-Jubiläum begangen wurde.

Keine rauschende Ballnacht, wie sie in Friedens- oder Siegeszeiten angestanden wäre, stand auf dem Programm, sondern schlicht ein »Betriebsappell«.

In den beiden Nächten zuvor waren erstmals weite Teile Berlins bombardiert worden. Es gab viele Tote, und die ersten Häuserblöcke verwandelten sich in Ruinenfelder.

Von da an wurde es immer schwieriger, einen geregelten Studiobetrieb aufrechtzuerhalten: Bombenalarme, zerstörte Ateliers und Verluste unter Kollegen behinderten die Produktionen, die man zunehmend ins Ausland, nach Wien oder Prag, verlagern mußte.

Es wurde ein Jahr der melancholischen, todessüchtigen Filme *(Große Freiheit Nr. 7, Romanze in Moll, Opfergang),* das von einem der überdrehten Revuen (*Die Frau meiner Träume,* 1944) und der verfilmten Durchhalteparolen (*Kolberg,* 1944/45) abgelöst wurde.

Als die Ostfront zusammenbricht und die Rote Armee sich unaufhaltsam deutschem Reichsgebiet nähert, schafft es Goebbels noch, für *Kolberg* ein Heer von 185 000 Mann von der Wehrmacht als Statisten zu rekrutieren.

Doch der Glaube an die Macht des Kinos, den diese Aktion beweist, schlägt fehl: Auch die von Harlan kommandierten Divisionen lassen kein Wunder mehr geschehen.

Auf einer seiner letzten Konferenzen im April 1945 versuchte Goebbels sich und seinen Mitarbeitern noch Mut zuzusprechen: »Meine Herren, in 100 Jahren wird man einen schönen Farbfilm über die schrecklichen Tage zeigen, die wir durchleben. Möchten Sie in diesem Film eine Rolle spielen? Halten Sie jetzt durch, damit die Zuschauer in 100 Jahren nicht johlen und pfeifen, wenn Sie auf der Leinwand erscheinen.«

Bevor er sich wenig später anschickt, in den Bunker zu steigen, greift der Schirmherr des deutschen Films beim Aufräumen seines Schreibtisches resigniert nach einem Portrait seiner Lida Baarova und schmeißt es ins Feuer.

Obwohl die Russen schon in einigen Außenvierteln Berlins standen, wurde in Babelsberg noch produziert. Zum Beispiel *Ein toller Tag* von Oscar Fritz Schuh. Die Dreharbeiten kamen nur schleppend voran. Weil es laufend Bombenalarm gab, konnten nur in den Pausen einige Einstellungen gedreht werden. Sie waren meist unbrauchbar, weil die Schönheit der Schauspielerinnen (u. a. Ilse Werner) unter den Strapazen der Angriffe litt.

Andere Teams hatten sich in die Tiroler Alpen abgesetzt, wo sie unbehelligt an ominösen Heimatfilmen drehten – mit leerer Kamera.

Am 20. April unterbanden Tieffliegerangriffe die vorläufig letzte Produktion eines Ufa-Films mit dem Titel *Die Schenke zur ewigen Liebe.*

Vier Tage später war das Babelsberger Gelände in russischer Hand.

Einer, dessen Arbeitsplatz die Ufa-Stadt gewesen war, ist jener Maskenbildner, der jahrelang täglich mit der S-Bahn aus Berlin kam, um Stars wie Hans Albers, Heinrich George oder Zarah Leander zu schminken.

Als er einige Wochen nach Kriegsende seinen alten Weg antrat, um zu sehen, was aus der Ufa geworden war, hielt sein Zug kurz vor Babelsberg an einem Signal: »Ich blickte aus dem Fenster und sah auf dem Nachbargleis einen abgestellten Güterzug stehen. Die offenen Waggons waren bis oben gefüllt mit wahllos aufeinandergehäuften Gerätschaften, die bereits rosteten: Scheinwerfer, Schaltpulte, Arbeitsbühnen etc.

Die gesamte Studiotechnik war herausgerissen worden und vergammelte auf Güterwagen, die nach Rußland sollten, aber offenbar vergessen worden waren.

Da wußte ich, daß ich nicht mehr weiterzufahren brauchte, daß es für immer vorbei war mit der Ufa.«

Noch war es nicht ganz vorbei mit der alten Ufa.

Die Babelsberger Studios wurden bald wieder technisch ausgestattet, der Fundus und Teile des Personals gingen in der ein Jahr nach Kriegsende gegründeten DEFA auf, die den von solidem Handwerk geprägten Ufa-Stil bis in die achtziger Jahre hinein bewahrte.

Erst mit dem Ende der DDR kam auch das definitive Ende dessen, was von der Ufa geblieben war und nur als Staatsbetrieb so lange hatte überleben können.

Heute stehen die riesigen Hallen leer und wirken auch dann hoffnungslos überdimensioniert, wenn in ihnen ab und zu eine Fernsehserie gedreht wird.

75 Jahre nach Gründung der Ufa wurde das Filmgelände Neubabelsberg für 140 Millionen Mark an einen französischen Konzern verkauft, ist die Zukunft der Ateliers ungewiß.

Bleibt zu hoffen, daß die neuen Besitzer sich der Tradition dieses Ortes bewußt sind und ihn nicht völlig zweckentfremden.

Dieses Buch versammelt eine Auswahl der 100 bekanntesten Schauspieler, die das Gesicht der Ufa seit ihrer Gründung bis 1945 geprägt haben.

Sie erinnern an eine Epoche, in der es in Deutschland ein funktionierendes Starsystem als Zeichen einer mächtigen, künstlerisch ambitionierten wie kommerziell erfolgreichen Filmindustrie gab.

Bei allem Bewußtsein für die Schattenseiten der Ufa im Lauf ihrer Geschichte geraten Erinnerungen in dieser Form natürlich leicht zur Verklärung.

Doch das gehört schließlich zum Wesen des Starkults.

I.
Die Damen

Lida Baarova

Geboren am 16. November 1914 in Prag als Ludmilla Babková. Die Tochter eines Magistratsbeamten besucht das Prager Schauspielkonservatorium und spielt erste kleine Rollen am Nationaltheater.

Mit 17 debütiert sie beim Film und wird u. a. in Komödien von Carl Lamac rasch populär.

1934 verpflichtet die Ufa auf Anregung ihres tschechischen Auslandsdirektors Lida Baarova nach Berlin, wo sie in Filmen wie *Barcarole* (1935), *Einer zuviel an Bord* (1935) oder *Verräter* (1936) junge, temperamentvolle Ausländerinnen spielt, der die Männer reihenweise verfallen.

1936 verliebt sich Joseph Goebbels in die 22jährige, die mit ihrem Kollegen Gustav Fröhlich liiert ist.

Die Affäre wird über Berlin hinaus bekannt und kommt auch Hitler zu Ohren, der Lida Baarova im Herbst 1938 aus Deutschland ausweisen läßt. Ihre letzte Ufa-Produktion (*Preußische Liebesgeschichte,* 1938), die, historisch verbrämt, als Kommentar zu den Vorgängen um Baarova/Goebbels aufgefaßt werden könnte, wird zurückgehalten und läuft erst 1950 unter dem Titel *Liebeslegende* an.

Nach der erzwungenen Heimkehr dreht Lida Baarova weiter: erst in der Tschechoslowakei (aus der sie nach Kriegsende flieht), dann in Italien (u. a. in Federico Fellinis *I Vitteloni,* 1953), schließlich in Spanien.

Heute erinnert man sich vor allem wegen ihrer Liebschaft mit Goebbels an Lida Baarova, die seit Ende der fünfziger Jahre in Salzburg lebt.

Daß sie darüber hinaus eine respektable Schauspielerin ist, konnte sie 1975 noch einmal beweisen, als sie für R. W. Fassbinders Theaterinszenierung *Die bitteren Tränen der Petra von Kant* nach Deutschland zurückkehrte.

Filme mit Lida Baarova:

Barcarole (1935)
Einer zuviel an Bord (1935)
Verräter (1936)
Patrioten (1937)
Preussische Liebesgeschichte (1938)
Der Spieler (1938)

Viktoria von Ballasko

Geboren in Wien am 24. Januar 1909. Die Tochter eines hohen Beamten und Offiziers a. D. besucht nach dem Gymnasium die Akademie für darstellende Kunst in Wien und spielt ab 1929 an Bühnen in Bern, Chemnitz und Breslau.

Mit 26 kommt sie ans Berliner Schiffbauerdammtheater und debütiert, nach ersten Erfahrungen als Synchronsprecherin, in Luis Trenkers *Der Kaiser von Kalifornien* (1936) beim Film. Zur Ufa stößt sie 1938 mit *Preußische Liebesgeschichte:* Als Prinzessin Auguste von Sachsen-Weimar versucht sie taktvoll, ihren künftigen Mann Prinz Wilhelm (Willy Fritsch) auf die Kameradschaftsehe mit ihr einzustimmen; wissend, daß er eine andere liebt.

Auch in den Ufa-Produktionen *Die Geliebte, Kennwort Machin* (beide 1939) und besonders in *Der Majoratsherr* (1944) spielt Viktoria von Ballasko verständnisvoll-zurückhaltende Frauen, die niemandem zur Last fallen wollen: Für den Majoratsherrn Willy Birgel ist – nach dem Tod seiner Verlobten – die Ehe mit der kranken Gutsbesitzerstochter zunächst eine reine Verlegenheitslösung. Doch als ihr Opfer sich in Liebe wandelt, gesunden die Verhältnisse.

Viktoria von Ballasko, die nach dem Krieg u. a. in Georg Tresslers *Die Halbstarken* (1956) auftrat, starb am 10. Mai 1976 in Berlin.

Filme mit Viktoria von Ballasko:

Preussische Liebesgeschichte (1938)
Kinderarzt Dr. Engel
Die Geliebte (1939)
Kennwort Machin (1939)
Gefährten meines Sommers (1943)
Der Majoratsherr (1944)

LIL DAGOVER

Name und Herkunft passen zum Inbild der *Grande Dame* des deutschen Films, das sie ihr Leben lang verkörperte: Maria Antonia Sieglinde Martha Lilitt Seubert wird am 30. September 1887 als Tochter eines Oberforstmeisters auf Java geboren.

Die Stationen ihrer (weitgehend elternlosen) Kindheit: Baden-Baden, Genf und Weimar.

Dort heiratet sie 1913 den Schauspieler Fritz Daghover, von dem sie sich sieben Jahre später trennt.

1918 beginnt sie unter dem Namen Lil Dagover ihre Filmkarriere. Obwohl sie nie Schauspielunterricht hatte, dreht sie von Anfang an mit den damaligen Größen: Norbert Wiene (*Das Kabinett des Dr. Caligari*, 1919), Carl Froelich (*Die Toteninsel*, 1920) und Fritz Lang (*Der müde Tod*, 1921). Zur Ufa stößt sie 1922 mit *Luise Millerin.* Für die Ufa auch spielt sie in F. W. Murnaus berühmter *Tartüff*-Verfilmung von 1926.

Anders als viele ihrer Kollegen schafft sie den Übergang zum Tonfilm problemlos. Ihre dunkle, warme Stimme, die so perfekt zu ihrem Äußeren paßt, macht sie beim Publikum noch beliebter.

Nebenher spielt sie Theater und wird 1943 zur Truppenbetreuung an die Ostfront beordert.

Nach dem Krieg wandelt sich ihr Rollenfach zunehmend in erfahrene, später in kauzige alte Damen.

In den sechziger und siebziger Jahren arbeitet sie noch gelegentlich fürs Kino: in Josef von Bakys Edgar-Wallace-Verfilmung *Die seltsame Gräfin* (1961), Maximilian Schells *Der Fußgänger* (1973) oder Hans Jürgen Syberbergs *Karl May* (1974).

Am 23. Januar 1980 stirbt Lil Dagover in München.

Filme mit Lil Dagover:

LUISE MILLERIN (1922)
SEINE FRAU, DIE UNBEKANNTE (1923)
ZUR CHRONIK VON GRIESHUS (1925)
TARTÜFF (1926)
DER HÖHERE BEFEHL (1935)
SCHLUSSAKKORD (1936)
DAS MÄDCHEN IRENE (1936)
DIE KREUTZERSONATE (1937)
DREIKLANG (1938)
FRIEDRICH SCHILLER (1940)
MUSIK IN SALZBURG (1944)

Marlene Dietrich

Marie Magdalene Dietrich wird am 27. Dezember 1901 in Berlin geboren.

1921 beginnt sie bei Max Reinhardt eine Ausbildung als Schauspielerin, jobbt nebenher als Fotomodell für Werbeprospekte. Ab 1922 tritt sie bei verschiedenen Berliner Bühnen, meist in Revuestücken, als Kleindarstellerin auf. Im gleichen Jahr gibt sie als Kammerzofe in Georg Jacobys Komödie *So sind die Männer* ihr Kinodebüt.

Bis 1930 spielt sie in nicht weniger als 15 Filmen, darunter drei Ufa-Produktionen, meist kleine Rollen und fällt durch ihre ungewöhnliche Schönheit auf.

Die Behauptung, *Der Blaue Engel* (1930) sei ihr erster Film gewesen, ist also Legende.

Zur Legende wird sie bald durch ihren Part als fesche Lola in dem, (durch sie) berühmtesten Ufa-Film.

Denn noch am Premierenabend von *Der Blaue Engel* entschwindet sie Richtung Hollywood, folgt ihrem Entdecker Josef von Sternberg, der sechs weitere Filme mit ihr dreht und ihren Weltruf festigt, darunter *Marokko* (1930), *Shanghai-Expreß* (1932) und *Blonde Venus* (1932).

Als sich im Sommer 1939 der Zweite Weltkrieg ankündigt, nimmt Marlene Dietrich demonstrativ die amerikanische Staatsbürgerschaft an.

Ihre Solidarität mit den Alliierten bezeugt sie ab 1943 auch mit ausgedehnten Fronttourneen im Rahmen der US-Truppenbetreuung. Dies trägt ihr in Deutschland noch lange nach Kriegsende den Ruf der Vaterlandsverräterin ein. In den späten fünfziger Jahren klingt ihre Filmlaufbahn langsam aus, wird abgelöst durch eine ebenso erfolgreiche Gesangskarriere.

Nach einem Bühnenunfall zieht sie sich 1975 ganz zurück und lebt abgeschirmt in ihrer Pariser Wohnung, wo sie am 6. Mai 1992 stirbt.

Ufa-Filme mit Marlene Dietrich:

Der Sprung ins Leben (1923)
Manon Lescaut (1926)
Eine Dubarry von heute (1926)
Der Blaue Engel (1930)

Marlene Dietrich

MARTA EGGERTH

Geboren als Martha von Eggerth am 17. April 1912 in Budapest. Der Vater ist Bankdirektor, die Mutter war bis zu ihrer Heirat Sängerin. Von früh an fördert sie das musikalische Talent ihrer Tochter, die eine deutsche Schule besucht.

Mit zehn Jahren beginnt Marta Eggerth eine Gesangsausbildung und reist bald als musikalisches Wunderkind durch Europa.

In den zwanziger Jahren spielt sie erfolgreich in Budapest und Wien Operette und kommt mit Erfindung des Tonfilms wie selbstverständlich zum Kino.

Meist tritt sie in musikalischen Komödien oder Operettenverfilmungen auf, deren Titel für sich sprechen: *Trara um Liebe* (1931), *Ein Lied, ein Kuß, ein Mädel* (1932) oder, im Jahr darauf, erstmals für die Ufa in *Die Czardasfürstin* (nach Emmerich Kálmán).

Ebenfalls für die Ufa entsteht 1936 *Das Hofkonzert* von Detlef Sierck, eine nostalgische Verbeugung ans Bayern des 19. Jahrhunderts, in dem eine junge Sängerin aus der Stadt in einem kunstbegeisterten Landesfürsten ihren Vater findet.

1936 heiratet Marta Eggerth den polnischen Tenor Jan Kiepura, mit dem sie zwei Jahre später nach Amerika auswandert und dort ihre Karriere als Film- und Operettenstar erfolgreich fortsetzt. Marta Eggerth lebt heute in New York.

Filme mit Marta Eggerth:

DIE CZARDASFÜRSTIN (1934)
DAS HOFKONZERT (1936)
IMMER WENN ICH GLÜCKLICH BIN (1937)

HELI FINKENZELLER

Helene Finkenzeller wird am 17. November 1914 in München geboren, wo ihre Eltern ein Büroeinrichtungshaus besitzen.

Schon als Kind möchte sie Opernsängerin werden und besucht nach der Schulzeit das Konservatorium in ihrer Heimatstadt, wechselt dann aber ins Schauspielfach und läßt sich ab 1933 an der neugegründeten Falckenberg-Schule ausbilden. Ein Jahr später spielt sie an den Münchner Kammerspielen, dann holt Gründgens sie ans Staatstheater nach Berlin.

Karl Ritter, der sie als Bäuerin in Ludwig Thomas »Ludwig Filser« sieht, verpflichtet sie für seine bayerische Volkskomödie *Der Ehestreik* (1935).

Ihr süddeutscher Charme, gemischt mit ihrer Damenhaftigkeit (die sie mitunter ironisiert), läßt Heli Finkenzeller in den dreißiger Jahren zu einer der beliebtesten Charakterdarstellerinnen der Ufa werden.

Ihre Stärke sind bayerische Komödien, in denen sie sich schlagfertig, mit weiblichem Witz und dem Herz am rechten Fleck gegen eine aufdringliche Männerwelt behauptet (etwa in *Das Weiberregiment*, 1936).

Neben ihrer Theaterarbeit dreht Heli Finkenzeller auch nach dem Krieg fürs Kino (u. a. in *Es geschah am 20. Juli*, 1955), später auch fürs Fernsehen (zuletzt die ZDF-Serie *Das Traumschiff*).

Heli Finkenzeller starb am 14. Januar 1991 in München.

Filme mit Heli Finkenzeller:

DER EHESTREIK (1935)
KÖNIGSWALZER (1935)
BOCCACCIO (1936)
WEIBERREGIMENT (1936)
MEIN SOHN, DER HERR MINISTER (1937)
HOCHZEITSNACHT (1941)
DAS BAD AUF DER TENNE (1943)

ELISABETH FLICKENSCHILDT

Daß sie nicht der typische Glamour-Star wurde, verhinderte schon ihr Aussehen, das auch in jungen Jahren weder besonders jugendlich noch nach üblichen Standards hübsch wirkte.

Immerhin bekam sie von der Ufa 1938 die Hauptrolle in Werner Hochbaums Melodram *Ein Mädchen geht an Land,* in dem eine Kapitänstochter aus Blankenese den leeren Versprechungen eines Heiratsschwindlers erliegt.

Was die Herkunft der Betrogenen angeht, gibt es Parallelen zur Biographie ihrer Darstellerin: Elisabeth Ida Marie Flickenschildt wird am 16. März 1905 in Blankenese bei Hamburg als Tochter eines Kapitäns geboren. Nach Volks- und Oberrealschule arbeitet sie in einem Hamburger Modesalon und nimmt nebenher Schauspielunterricht.

Nach ersten Engagements in Hamburg und Hannover holt sie Otto Falckenberg 1933 an die Münchner Kammerspiele.

Drei Jahre später wechselt sie ans Deutsche Theater nach Berlin. 1935 debütiert sie beim Film in Carl Lamacs *Großreinemachen.*

Ihre irrlichternde Art bestimmt sie für abgründige, problematische Rollen.

Kurze, prägnante Auftritte hat sie etwa in Gründgens' Effi-Briest-Verfilmung *Der Schritt vom Wege* (1938/39) oder – als neugierige Concierge – in Käutners *Romanze in Moll* (1943).

Auch nach Kriegsende arbeitet Elisabeth Flickenschildt bei Theater und Film, geht 1955 mit Gründgens ans Hamburger Schauspielhaus, wo sie bis zu dessen Tod im Jahre 1963 auftritt.

In den sechziger Jahren spielt sie in Edgar-Wallace- und Ludwig-Thoma-Verfilmungen skurrile ältere Damen, die hinter einer schroffen Oberfläche liebenswürdige Seiten verstecken.

Elisabeth Flickenschildt, die neben der Schauspielerei seit 1940 einen Bauernhof erst im Chiemgau, dann in der Nähe von Stade bewirtschaftet, stirbt am 26. Oktober 1977 infolge eines Autounfalls.

Filme mit Elisabeth Flickenschildt:

EIN MÄDCHEN GEHT AN LAND (1938)
REMBRANDT (1942)
DER GROSSE KÖNIG (1942)
ALTES HERZ WIRD WIEDER JUNG (1943)
NEIGUNGSEHE (1944)

KÄTE HAACK

Geboren in Berlin am 11. August 1897.
Die Tochter aus gutem Haus (der Vater ist Tuchhändler) besucht ein Charlottenburger Privatlyzeum und nimmt privat Schauspielunterricht.
Ab 1915 spielt sie am Berliner Lessing-Theater, zur gleichen Zeit debütiert sie als blondes Dummchen in *Der Katzensteig* von Max Mack.
In den nächsten eineinhalb Jahrzehnten folgen nicht weniger als 75 Stummfilme, in denen sie meist als fröhlich-naives Mädchen auftritt. Zuweilen dreht sie jährlich bis zu zwölf Titel.
Problemlos vollzieht sie Anfang der dreißiger Jahre mit Erfindung des Tonfilms den Wandel zur mütterlichen Charakterdarstellerin (etwa als Frau Tischbein in Gerhard Lamprechts Ufa-Produktion *Emil und die Detektive*, 1931).
In Dutzenden von Filmen verkörpert sie ebenso liebevolle wie patente Frauen, die entschlossen Familien- oder Eheprobleme meistern. In *Sophienlund* (1943) oder *Seinerzeit zu meiner Zeit* (1944) steht sie ihrer Filmtochter Hannelore Schroth kameradschaftlich zur Seite; in *Liebesbriefe* (1943) entdeckt sie den versuchten Seitensprung ihres Ehemanns – und vergibt ihm großzügig.
Doch auch als aristokratische Dame überzeugt sie (etwa als Baronin in Joseh von Bakys *Münchhausen*).
In den fünfziger Jahren ändert sich ihr Rollenfach zur freundlichen (zuweilen schrulligen) älteren Dame aus besseren Kreisen.
In den siebziger Jahren ist sie in Maximilian Schells *Der Fußgänger* (1973) oder Heidi Genées *Grete Minde* (1977) zu sehen.
Am 5. Mai 1986 stirbt Käte Haack in Berlin.

Filme mit Käte Haack:

EMIL UND DIE DETEKTIVE (1931)
DIE GUTE SIEBEN (1941)
ANNELIE (1941)
SOPHIENLUND (1943)
LIEBESBRIEFE (1943)

DOLLY HAAS

Als Tochter eines Briten und einer Österreicherin am 29. April 1910 in Hamburg geboren. Mit sechs Jahren bekommt sie Ballettunterricht, mit zehn gibt sie ihren ersten Soloabend mit selbst einstudierten Tänzen.

1928 zieht sie nach Berlin und tritt in Kabaretts und Revuetheatern auf (u. a. bei Eric Charell und Max Reinhardt).

1930 bekommt sie als singende und tanzende Schaufensterpuppe in Wilhelm Dieterles *Eine Stunde Glück* ihre erste Filmrolle.

Im selben Jahr folgte für die Ufa *Dolly macht Karriere* von Anatole Litvak: die Komödie um den märchenhaften Aufstieg einer jungen, knabenhaften Hutverkäuferin zum Revuestar.

Karriere machte Dolly Haas in den folgenden drei Jahren tatsächlich als temperamentvolle Kindfrau, die ihren männlichen Partnern durch Witz und Tatkraft überlegen ist: wichtige Eigenschaften in einer Zeit, die von politischer Agonie und wirtschaftlicher Depression gezeichnet war.

Es wird schon wieder besser (1932) hieß programmatisch eine weitere Ufa-Komödie mit Dolly Haas, in der sie mit ihrem Auto einen arbeitslosen Ingenieur (Heinz Rühmann) anfährt, ihm daraufhin einen Job in der Fabrik ihres Vaters besorgt und ihn zu guter Letzt heiratet.

Keinesfalls besser wurden die Arbeitsbedingungen für Dolly Haas und ihre jüdischen Kollegen nach der Machtergreifung Hitlers.

Nach rund einem Dutzend Filmen, in denen sie, untersetzt und burschikos, häufig in Hosenrollen besetzt wurde, emigriert Dolly Haas 1936 über England nach Amerika.

In Hollywood wird sie von Columbia unter Vertrag genommen, erhält aber eineinhalb Jahre lang kein Rollenangebot und läßt sich schließlich in New York nieder, wo sie (etwa unter Erwin Piscator) fürs Theater arbeitet und noch heute lebt.

Ufa-Filme mit Dolly Haas:

DOLLY MACHT KARRIERE (1930)
ES WIRD SCHON WIEDER BESSER (1932)

Liane Haid

Geboren in Wien am 16. August 1895. Als Kind Ausbildung zur Tänzerin, Mitglied des Wiener Opernballetts. Später gastiert sie auch als Schauspielerin in Wien, Budapest und Berlin, wo sie ab 1920 in Stummfilmen auftritt.

In *Der unsterbliche Lump* (1930), einer der ersten Tonfilmproduktionen der Ufa, wird sie Opfer einer väterlichen Intrige, in *Stern von Valencia* (1933) das Opfer eines Mädchenhändlers. Sie verkörpert aber nicht nur treuherzige, duldsame Frauengestalten, sondern durchaus auch Salonschlangen (*Sag' mir, wer du bist,* 1933) oder moderne Vamps (*Die unvollkommene Liebe,* 1940), die bei ihr aber eher harmlos ausfallen.

Liane Haid lebt in Wien.

Filme mit Liane Haid:

DER UNSTERBLICHE LUMP (1930)
SAG' MIR, WER DU BIST (1933)
STERN VON VALENCIA (1933)
IHRE DURCHLAUCHT, DIE VERKÄUFERIN (1935)
DIE UNVOLLKOMMENE LIEBE (1940)

Karin Hardt

Geboren in Hamburg am 28.4.1910 als Tochter eines Kaufmanns.
Nach der Schauspielschule in Berlin kommt sie 1932 zur Ufa und
wird sofort in Hauptrollen eingesetzt, etwa in der Sommerroman-
ze *Abel mit der Mundharmonika* (1933) oder, neben Hans Albers,
in dem Spionagethriller *Ein gewisser Herr Gran* (1933). Ihre eher
zurückhaltende Art läßt sie in Komödien wie *Die törichte Jungfrau*
(1935) oder *Männerwirtschaft* (1941) deplaziert erscheinen.
Ideal besetzt ist sie dagegen in Josef von Bakys düsterem Hei-
matepos *Via Mala* (1945) als Silvelie, deren beinah überirdische
Erscheinung der *Filmkurier* von 1943 so beschreibt: »Das Gesicht
deutet schönste Klarheit und Harmonie an. Innere und äußere
Schönheit ergänzen sich, und die Haltung läßt erkennen, daß Silvelie überhaupt Respekt verlangt und zu empfangen gewohnt ist.«
Nach Kriegsende spielt Karin Hardt ein Jahr am Berliner Hebbel-
Theater und tritt nur noch gelegentlich in Filmen auf, etwa in *So
sind die Frauen* (1950).
Karin Hardt starb im März 1992 in Berlin.

Filme mit Karin Hardt:

ABEL MIT DER MUNDHARMONIKA (1933)
EIN GEWISSER HERR GRAN (1933)
DIE TÖRICHTE JUNGFRAU (1935)
SOMMER, SONNE, ERIKA (1939)
MÄNNERWIRTSCHAFT (1941)
DAS HOCHZEITSHOTEL (1944)
VIA MALA (1945)
VIER TREPPEN RECHTS (1945)

LILIAN HARVEY

Als Lilian Helen Muriel Pape am 19. Januar 1906 in London geboren. Die Mutter ist Engländerin, der Vater ein Kaufmann aus Magdeburg. Sie wächst in London auf, nimmt während der Schulzeit Ballettunterricht.

1914 übersiedelt sie mit ihrer Familie nach Berlin. Die Kriegsjahre verbringt Lilian bei einer Tante in der Schweiz.

1923 macht sie Abitur in Berlin, danach tritt sie in die Ballettschule der Staatsoper ein.

Im gleichen Jahr wird sie (die inzwischen den Mädchennamen ihrer Großmutter angenommen hat) für eine Revue ans Wiener Ronacher Theater engagiert und bekommt kurz darauf in Robert Lands *Der Fluch* (1924) ihre erste Filmrolle.

Es folgen Arbeiten für den Berliner Produzenten Richard Eichberg, der sie 1928 in *Die keusche Susanne* zum erstenmal mit Willy Fritsch vor die Kamera bringt.

Danach wird sie von der Ufa unter Vertrag genommen, wo sie als Partnerin von Willy Fritsch in Filmoperetten wie *Die Drei von der Tankstelle* (1930), *Der Kongreß tanzt* (1931), *Zwei Herzen und ein Schlag* (1931/32) oder *Ein blonder Traum* (1932) rasch zum ›süßesten Mädel der Welt‹ aufsteigt.

Rauschgoldengel und Tillergirl scheinen in ihr zusammenzufallen. Schwung und Libertinage der zwanziger Jahre schlagen in ihr ebenso durch wie eine positive, praktische (Über-)lebenseinstellung angesichts des krisengeschüttelten Alltags zum Ende der Weimarer Republik.

Sie ist anmutig und kokett, sportlich und voller Grazie, keß und akrobatisch, sie kann trällern und melancholisch dreinschauen.

Sie hat Präsenz, und vor allem: sie ist so biegsam wie ihr durchtrainierter Körper. Die geborene *screen personality*.

In den ebenso erfolgreichen ausländischen Fassungen ihrer Filme braucht sie nicht gedoubelt zu werden.

Daraus zieht sie übereilte Schlüsse und versucht im Frühjahr 1932 (zeitgleich mit Marlene Dietrich) den Absprung nach Hollywood. Ohne Erfolg: Paul Martin, ihr Lebensgefährte und Regisseur, den sie mitnimmt und drüben durchzusetzen versucht, ist nicht Josef von Sternberg (noch hat er dessen Verbindungen).

Drei Jahre später kehrt sie nach Deutschland zurück und dreht, wie gehabt, für die Ufa und mit Willy Fritsch Komödien wie *Glückskinder* (1936) oder *Frau am Steuer* (1939).

Doch daß sich in Deutschland die Dinge seit ihrem Weggang gründlich geändert haben, merkt Lilian Harvey spätestens 1937,

nachdem sie dem jüdischen Choreographen Jens Keith zur Flucht in die Schweiz verholfen hat und daraufhin von der Gestapo vernommen wird. Zwei Jahre später emigriert sie nach Frankreich, dann erneut in die USA, wo sie während des Krieges u. a. als Schwesternhelferin arbeitet.

Nach Kriegsende zieht sie nach Frankreich zurück und versucht eine Gesangskarriere, dann ihr Comeback als Schauspielerin, beides ohne Erfolg.

Seit Anfang der sechziger Jahre lebte sie in Juan-les-Pins, wo sie am 27. Juli 1968 stirbt.

Filme mit Lilian Harvey:

HOKUSPOKUS (1930)
DIE DREI VON DER TANKSTELLE (1930)
DER KONGRESS TANZT (1931)
NIE WIEDER LIEBE (1931)
EIN BLONDER TRAUM (1932)
QUICK (1932)
ZWEI HERZEN UND EIN SCHLAG (1932)
ICH UND DIE KAISERIN (1933)
SCHWARZE ROSEN (1935)
GLÜCKSKINDER (1936)
SIEBEN OHRFEIGEN (1937)
CAPRICCIO (1938)
FRAU AM STEUER (1939)

Heidemarie Hatheyer

Geboren am 8. April 1918 im österreichischen Villach als Tochter eines Unternehmers.

Nach dem Abitur zieht sie nach Wien, um Journalistin zu werden, schließt sich dort einem Kabarett an und tritt 1936 als Nebendarstellerin mit Zarah Leander in der Operette ›Axel an der Himmelstür‹ auf.

1937 wechselt sie nach München an die Kammerspiele.

Im gleichen Jahr entdeckt Luis Trenker die Hatheyer für den Film: Als Trenkers Partnerin spielt sie in *Der Berg ruft* (1937) die Geliebte des italienischen Matterhorn-Erstbesteigers Carell.

Mit der herben, verschlossenen Schönheit ihres Gesichts und ihrem glutvoll-innigen Spiel wird Heidemarie Hatheyer eine der wundersamsten Frauengestalten des deutschen Films.

Ihren Durchbruch schafft sie als *Die Geierwally* (1940). Der Film gerät zum Triumph für die 22jährige, was zur Folge hat, daß ihre späteren Arbeiten häufig an dieser Rolle gemessen werden.

Obwohl vor allem bei der Tobis unter Vertrag, entstehen für die Ufa-Töchter Bavaria und Berlin-Film einige wichtige Arbeiten mit Heidemarie Hatheyer: *Man rede mir nicht von Liebe* (1943) und besonders *Ich glaube an dich* (1944), der erst 1950 unter dem Titel *Mathilde Möhring* ins Kino kam.

Nach Kriegsende spielt Heidemarie Hatheyer in München, Berlin und Düsseldorf Theater.

Auch in zahlreichen Nachkriegsfilmen ist sie als Hauptdarstellerin zu sehen, so etwa in Rolf Hansens *Das letzte Rezept* (1952) oder *Der Meineidbauer* (1956).

Neben Arbeiten fürs Fernsehen (u. a. *Tatort, Diese Drombuschs*) spielte sie ein letztes Mal 1988 in dem ihr gewidmeten Kinofilm *Martha Jellneck.*

Heidemarie Hatheyer stirbt am 11. Mai 1990 in Scheuren bei Zürich.

Filme mit Heidemarie Hatheyer:

Der Berg ruft (1937)
Frau Sixta (1938)
Die Geierwally (1940)
Ich klage an (1941)
Man rede mir nicht von Liebe (1943)
Ich glaube an dich / Mathilde Möhring (1944)

BRIGITTE HELM

Am 17. März 1906 als Brigitte Eva Gisela Schnittenhelm geboren. Der Vater, ein preußischer Offizier, stirbt, als sie vier Jahre alt ist. Ihre Schulzeit verbringt sie auf einem Internat in der Mark Brandenburg, wo sie erste (Schüler-)Theatererfahrungen macht. Nach dem Abitur möchte sie Astronomin werden.

Auf Wunsch ihrer Mutter macht sie Probeaufnahmen bei Fritz Lang, der die gerade 17jährige für die (Doppel-)Hauptrolle in der Ufa-Mammutproduktion *Metropolis* (1925/26) besetzt: Als Maria spielt sie die positive Heldin, als Maschinenmensch deren dämonische Gegenspielerin.

Ein Zehnjahresvertrag bei der Ufa ermöglicht Brigitte Helm die Fortsetzung ihrer Karriere mit Filmen unter Karl Grune (*Am Rande der Welt,* 1927) und Georg Wilhelm Pabst (*Die Liebe der Jeanne Ney,* 1927), in denen sie ebenso die Dualität von Heiliger und Hure verkörpert.

Henrik Galeens *Alraune* (1928) legt sie endgültig aufs Image eines (deutschen) Vamps von statuenhafter Schönheit fest.

Unzufrieden mit dieser Fixierung, prozessiert Brigitte Helm gegen die Ufa, um andere Rollenangebote zu bekommen.

Problemlos schafft Brigitte Helm, die nie zur Schauspielerin ausgebildet wurde, den Übergang zum Tonfilm (*Die singende Stadt,* 1930). Sie dreht in Frankreich (*L'Argent,* 1928) und England (*The Blue Danube,* 1932), erneuert aber 1935 ihren Vertrag nicht mehr und zieht sich – bestärkt durch schlechte Kritiken und die Ehe mit einem Industriellen – vom Film zurück.

Brigitte Helm lebt heute in Ascona.

Filme mit Brigitte Helm:

METROPOLIS (1927)
DIE LIEBE DER JEANNE NEY (1927)
ALRAUNE (1928)
L'ARGENT (1928)
DIE WUNDERBARE LÜGE DER NINA PETROWNA (1929)
ALRAUNE (1930)
DIE SINGENDE STADT (1930)
DIE GRÄFIN VON MONTE CHRISTO (1932)
GOLD (1934)
EIN IDEALER GATTE (1935)

Kirsten Heiberg

Nach Zarah Leander und Kristina Söderbaum der aparteste skandinavische ›Import‹ der Ufa.

Am 25. April 1907 in Kragerö (Norwegen) geboren, studiert sie nach ihrer Schulzeit Englisch in Oxford und läßt sich dort zur Bühnenschauspielerin ausbilden. Anfang der dreißiger Jahre tritt sie in Oslo (Nationaltheater) und Bergen als Schauspielerin auf. 1937 wird sie ans Theater an der Wien engagiert, wo sie ihren späteren Mann, den Komponisten Franz Grothe, kennenlernt. Sie zieht nach Berlin und bekommt eine Rolle in Curt Goetz' *Napoleon ist an allem schuld* (1939).

Im gleichen Jahr spielt sie mit *Frauen für Golden Hill* erstmals in einem Ufa-Film: eine ›rassige‹ Femme fatale, die sich mit einigen anderen Frauen freiwillig dafür gemeldet hat, den Männern einer australischen Goldgräbersiedlung Gesellschaft zu leisten.

Ihr Rollenfach: extravagante Chansonsängerinnen; zwielichtige und durch ihre Erotik in jeder Hinsicht gefährliche Ausländerinnen; harte, aber auch interessante Frauen, die etwas von der Art jener eiskalten Engel vorwegnehmen, wie sie im amerikanischen *Film Noir* der späten vierziger Jahre auftauchen.

Ihr Genre: Abenteuer-, Kriminal- und Spionagefilme mit propagandistischem Einschlag.

Ihre Milieus: Häfen, unter Schmugglern, auf Industrieanlagen.

Nach Kriegsende wird die Ehe mit Franz Grothe geschieden, und Kirsten Heiberg kehrt nach Norwegen zurück, wo sie als Vaterlandsverräterin angesehen und durch Nichtbeachtung gestraft wird. In den fünfziger Jahren ist sie für Gastspiele und Filmarbeiten gelegentlich wieder in Deutschland, bis sie eine Krebserkrankung dazu zwingt, ihren Beruf ganz aufzugeben. Am 2. März 1976 stirbt Kirsten Heiberg in Oslo.

Filme mit Kirsten Heiberg:

Frauen für Golden Hill (1938)
Napoleon ist an allem schuld (1939)
Achtung, Feind hört mit (1940)
Falschmünzer (1940)
Die goldene Spinne (1943)
Liebespremiere (1943)
Titanic (1943)
Die schwarze Robe (1944)

Hilde Hildebrand

Kein Glamourstar, eher ein schlichtes Gesicht mit etwas traurigen Augen, das aus dem Rahmen fällt.

Hilde Emma Mina Hildebrand wird am 10. September 1897 in Hannover als Tochter eines Monteurs geboren.

Anfang der zwanziger Jahre kommt sie nach Berlin, arbeitet an kleinen Bühnen und Revuetheatern als Schauspielerin und Chansonette, nebenher auch fürs Kino (*Der Trödler von Amsterdam,* 1925).

Nach ihrem ersten Tonfilm (*Zweierlei Moral,* 1931) nimmt sie die Ufa unter Vertrag. Seither spielt sie in zahlreichen Nebenrollen in Filmen wie *Der kleine Seitensprung* (1931), *Amphitryon* (1935) oder *Der grüne Kaiser* (1939). Häufig sieht man sie als Salonschlange: etwa in Reinhold Schünzels *Viktor und Viktoria* (1933), wo sie als elegante, freilich reizlose Rivalin Renate Müllers agiert. Ihren schönsten Auftritt hat Hilde Hildebrand in Helmut Käutners *Große Freiheit Nr. 7* (1943/44) als alternde Kiez-Wirtin Anita: eine Frau, die bessere Tage gesehen hat, zwischen Hoffnung, Resignation und trotzigem Durchhaltewillen angesichts ihres unsteten Liebhabers.

Hilde Hildebrand spielte nach Kriegsende weiterhin Theater und trat gelegentlich in Filmen auf. Verbittert über ausbleibende Engagements zog sie sich schließlich von der Schauspielerei zurück und starb am 28.4.1976 in Berlin.

Die wichtigsten Ufa- und Terra-Filme mit Hilde Hildebrand:

DER KLEINE SEITENSPRUNG (1931)
DAS SCHÖNE ABENTEUER (1932)
VIKTOR UND VIKTORIA (1933)
AMPHITRYON (1935)
DAS MÄDCHEN VON GESTERN NACHT (1938)
ES LEUCHTEN DIE STERNE (1939)
REISE IN DIE VERGANGENHEIT (1943)
GROSSE FREIHEIT NR. 7 (1943)

MARIANNE HOPPE

Marianne Stefanie Paula Henni Gertrud Hoppe, am 26. April 1911 in Rostock geboren, wächst in Mecklenburg auf dem Rittergut ihrer Eltern auf.

Nach ihrer Schulzeit in Berlin und Weimar besucht sie die Schauspielschule des deutschen Theaters in Berlin und nimmt zusätzlich privaten Unterricht bei Lucie Höflich.

Von 1928 bis 1939 spielt sie unter Max Reinhardt am Deutschen Theater, danach am Neuen Theater in Frankfurt und an den Kammerspielen in München unter Otto Falckenberg.

Zum Film kommt sie 1933 in Franz Ostens *Der Judas von Tirol.*

Danach erhält sie in der Ufa-Produktion *Heideschulmeister Uwe Karsten* die Hauptrolle einer Hamburgerin, die zu ihrem Geliebten aufs Land zieht.

Weitere, frühe Filme mit ihr sind im ländlichen Milieu angesiedelt (*Der Schimmelreiter,* 1933; *Wenn der Hahn kräht,* 1935/36) und zeigen sie als geradliniges, zuweilen spöttisches Mädchen mit knabenhafter Figur und herber Erotik.

Unter Gustaf Gründgens, den sie 1936 heiratet, entsteht mit ihr als Effi Briest die Fontane-Verfilmung *Der Schritt vom Wege* (1938/39).

Selbstbewußt meistert sie in Helmut Käutners *Auf Wiedersehen, Franziska!* (1941) den Alltag einer ständig wartenden Frau, die mit einem bei der Wochenschau beschäftigten Kameramann verheiratet ist, deutsche (Soldaten-)Frauen auf ähnliche Tugenden einschwörend.

Ihre spröde, maskuline Art empfiehlt sie für Rollen, in denen Frauen ihren Mann stehen müssen.

Das zeigt sie schon früh in dem Heimatfilm *Schwarzer Jäger Johanna* (1934), in dem sie sich, als Junge verkleidet, zum preußischen Freikorps meldet.

In *Capriolen* (1937) spielt sie eine Ozeanfliegerin, die im Alleinflug den Atlantik überquert hat, in *Kongo-Expreß* (1939) eine tropengeprüfte Abenteurerin.

Ihr reifster Film entsteht 1943 für die Tobis: *Romanze in Moll,* Helmut Käutners melancholisches Melodram um das Dilemma der Ehefrau eines Buchhalters, die einen erfolgreichen Künstler liebt und durch Erpressung in den Selbstmord getrieben wird.

Nach dem Krieg arbeitet Marianne Hoppe gleichermaßen erfolgreich für Theater und Kino. Ihre Ehe mit Gustaf Gründgens wird 1946 geschieden, dennoch spielt sie unter seiner Intendanz bis 1955 am Düsseldorfer Schauspielhaus.

Seit den sechziger Jahren dreht Marianne Hoppe überwiegend fürs Fernsehen (u. a. *Der Kommissar, Der Alte, Kir Royal*).
Dominik Graf (*Bei Thea,* 1982) und Richard Blank (*Ich bin Elsa,* 1989) besetzen sie in Hauptrollen.
Marianne Hoppe lebt heute in Siegsdorf/Oberbayern, wo sie einen Bauernhof betreibt.

Filme mit Marianne Hoppe:

HEIDESCHULMEISTER UWE KARSTEN (1933)
DER SCHIMMELREITER (1934)
CAPRIOLEN (1937)
DER SCHRITT VOM WEGE (1939)
KONGO-EXPRESS (1939)
EINE FRAU OHNE BEDEUTUNG (1940)
AUF WIEDERSEHEN, FRANZISKA! (1941)
ROMANZE IN MOLL (1943)

CAMILLA HORN

Am 25. April 1903 in Frankfurt/Main als Tochter eines Eisen-
bahnbeamten geboren. Nach ihrem Schulabschluß macht sie eine
Schneiderlehre, arbeitet in einem Modesalon und besucht die
Kunstgewerbeschule. Über Erfurt, wo sie als Schneiderin arbeitet,
kommt sie Anfang der zwanziger Jahre nach Berlin, nimmt Tanzunterricht und tritt im Kabarett auf. Zusammen mit Marlene Dietrich arbeitet sie als Filmkomparsin, u. a. doubelt sie Lil Dagover in
Murnaus *Tartüff* (1925). Murnau engagiert sie darauf für die Rolle des Gretchen in seiner *Faust*-Verfilmung (1925), nachdem die
ursprünglich dafür vorgesehene Lilian Gish absagt. In der Rolle
der Naiven ist sie so erfolgreich, daß ihr die Ufa 1926 einen Vier-
jahresvertrag anbietet.
Nachdem sie bei Lucie Höflich ihre Ausbildung nachgeholt hat,
spielt sie in der Zuckmayer-Verfilmung von *Der fröhliche Weinberg* (1927) erneut eine Hauptrolle.
Sie macht einen zweijährigen, erfolglosen Ausflug nach Hollywood, wo sie u. a. für Lubitsch *Eternal Love* (1929) dreht, kehrt
Anfang der dreißiger Jahre nach Deutschland zurück und dreht für
unterschiedliche Studios in Filmen mit Gustav Diessl (mit dem sie
auch privat liiert ist), Hans Albers und Willy Fritsch (in der Ufa-
Komödie *Der Frechdachs,* 1932).
Von der Naiven hat sie sich zum blonden Vamp gewandelt, verkörpert offensive, junge Frauen, Mannequins, Tänzerinnen, zu-
weilen auch Flittchen. Enttäuscht darüber, daß sie zunehmend in
Nebenrollen abgeschoben wird, arbeitet sie 1941/42 für italienische
Produktionen. Nach Kriegsende verlagert sie ihre Arbeit aufs
Theater und tritt nur noch gelegentlich in Filmen auf (zuletzt in Pe-
ter Schamonis *Schloß Königswald,* 1986, oder Ulf Miehes *Der Un-
sichtbare,* 1988).
Camilla Horn lebt heute in Herrsching am Ammersee.

Filme mit Camilla Horn:

FAUST (1925)
DER FRÖHLICHE WEINBERG (1927)
DER FRECHDACHS (1932)
RUND UM EINE MILLION (1933)
ICH SEHNE MICH NACH DIR (1934)
WEISSE SKLAVEN (1938)
HERZ OHNE HEIMAT (1940)
DIE KEUSCHE GELIEBTE (1942)

Carola Höhn

Karoline Minna Höhn wird am 30. Januar 1910 als Tochter eines schwäbischen Kaufmanns und Gastwirts in Wesermünde geboren. Nach ihrem Schulabschluß arbeitet sie in einem Modehaus und zieht Anfang der dreißiger Jahre nach Berlin, um sich dort von Julia Serda und Hans Junkermann zur Schauspielerin ausbilden zu lassen.

1934 debütiert sie in *Ferien vom Ich* beim Film und bekommt darauf einen Vertrag von der Ufa. Sie spielt als Partnerin von Johannes Heesters (*Der Bettelstudent,* 1935), Heinz Rühmann (*Hurra, ich bin Papa,* 1939) oder Paul Richter (*Warum lügst du, Elisabeth?,* 1944) junge, aufgeweckte Mädels, die ihr Glück mit einem veritablen Prinzen (in Detlef Siercks erstem Film *April, April,* 1935) oder auf einem Bauernhof finden (*Warum lügst du, Elisabeth?,* 1944).

Nach Kriegsende arbeitet sie weiter fürs Kino (*Heideschulmeister Uwe Karsten,* 1954, oder *Auf Wiedersehen am Bodensee,* 1956), spielt aber auch Theater (u. a. mit Heinz Rühmann in ›Der Mustergatte‹ und ist in Fernsehserien zu sehen *(Praxis Bülowbogen).* Carola Höhn lebt in Grünwald bei München.

Filme mit Carola Höhn:

FERIEN VOM ICH (1934)
APRIL, APRIL (1935)
LIEBESLIED (1935)
DER GRÜNE KAISER (1939)
MUTTER (1941)
KOLLEGE KOMMT GLEICH (1943)
WARUM LÜGST DU, ELISABETH? (1944)

BRIGITTE HORNEY

Am 29. März 1911 in Berlin-Dahlem geboren. Ihr Vater ist Fabrikant, ihre Mutter eine renommierte Psychoanalytikerin, die 1932 ans Chicago Institute of Psychoanalysis geht.

Nach der Schulzeit in Berlin-Zehlendorf und auf einem Internat in Zuoz (Engadin) nimmt Brigitte Horney in Berlin Schauspiel- und Tanzunterricht bei Ilka Grüning bzw. Mary Wigman.

1930 gewinnt sie den Max-Reinhardt-Nachwuchspreis. Darauf macht sie bei der Ufa Probeaufnahmen und bekommt ihre erste (Haupt-)Rolle in Robert Siodmaks elegischem Kleine-Leute-Film *Abschied* (1930), der das Leben einer Gruppe von Dauermietern in einer Berliner Pension schildert. Im Mittelpunkt: Brigitte Horney als Verkäuferin, deren Liebe zu einem Staubsaugervertreter durch Mißtrauen und Eifersucht zerstört wird.

Einen festen Vertrag mit der Ufa lehnt sie ab, um ungehindert ihre Bühnenkarriere verfolgen zu können. Anfang der dreißiger Jahre spielt sie am Stadttheater Würzburg, dann, wieder in Berlin, am Lessing-Theater, am Deutschen Theater und schließlich an der Volksbühne.

Ihren Durchbruch zur Filmschauspielerin hat sie in Heinz Hilperts phantastischem *Liebe, Tod und Teufel* (1934), in dem sie als ebenso leichtlebige wie einsame Barsängerin Rubby mit dunkler, schwermütiger Stimme Theo Mackebens ›So oder so ist das Leben‹ singt.

Die Ufa bietet ihr erneut einen Fünfjahresvertrag an. Doch Brigitte Horney lehnt wieder ab, möchte sich frei für ihre Rollen (und Studios) entscheiden können.

Obwohl sie in Filmen wie *Ein Mann will nach Deutschland* (1934) oder *Feinde* (1940) glühende Patriotinnen darstellt, paßt sie nicht ins Klischee der nationalsozialistischen Frau: Ihr herbes, verschlossenes Gesicht mit den hohen, slawischen Backenknochen umgibt eine Aura schroffer Eigenwilligkeit.

Gesammelte, nur sich selbst gehorchende weibliche Energie vermittelt sie auch in Hans Schweikarts *Befreite Hände* (1939) und *Das Mädchen von Fanö* (1940): einmal als scheue Hirtin, die vom Land in die Stadt kommt und dort zur Bildhauerin reift, zum anderen als schlichte Inselbewohnerin, die trotzig an der Liebe zu einem bereits vergebenen Mann festhält.

Rollen, die sie als Salondame zeigen, sind dagegen nicht ihre Stärke. Eine Ausnahme: Gustav Ucickys 1936 entstandener Krimi *Savoy Hotel 217,* in dem sie sich als geschiedene, reiche Russin einen Etagenkellner ausguckt, den sie um jeden Preis besitzen will.

Kurz vor Kriegsende siedelt Brigitte Horney mit ihrem Mann, dem Kameramann Konstantin Irmen-Tschet, in die Schweiz über. Von 1946 bis 1949 spielt sie am Zürcher Schauspielhaus, kehrt danach in die Bundesrepublik zurück, ehe sie 1952 in die USA übersiedelt, um nach dem Tod ihrer Mutter deren Lebenswerk zu betreuen.

Gelegentlich arbeitet sie noch in Europa für Theater und Film (etwa in Harald Brauns *Solange du da bist,* 1953, oder Frank Wysbars *Nacht fiel über Gotenhafen,* 1959/60).

In den sechziger Jahren dreht sie fürs Fernsehen *(Der Kommissar, Derrick)* und erlebt mit ihren Altersrollen in *Jacob und Adele* (1983 bis 1986) und *Das Erbe der Guldenburgs* (1988) ihr Comeback.

Während der Dreharbeiten zur zweiten Staffel von *Das Erbe der Guldenburgs* stirbt Brigitte Horney am 27. Juli 1988 in Hamburg. Sie liegt in Weilheim/Obb. begraben.

Filme mit Brigitte Horney:

ABSCHIED (1930)
LIEBE, TOD UND TEUFEL (1934)
DER GRÜNE DOMINO (1935)
SAVOY-HOTEL 217 (1936)
STADT ANATOL (1936)
ANNA FAVETTI (1938)
VERKLUNGENE MELODIE (1938)
BEFREITE HÄNDE (1939)
DER GOUVERNEUR (1939)
DER KATZENSTEG (1939)
DAS MÄDCHEN VON FANÖ (1940)
ILLUSION (1941)
MÜNCHHAUSEN (1943)

Jenny Jugo

Eugenie (Jenny) Walter wird am 14. Juni 1905 in Mürzzuschlag (Steiermark) als Tochter eines Fabrikanten geboren. Sie besucht eine Klosterschule in Graz und heiratet mit 16 Jahren in Italien den Schauspieler Emo Jugo, mit dem sie nach Berlin zieht.
1922 läßt sie sich von ihm scheiden und beginnt, ohne Vorbildung, für den Stummfilm zu arbeiten.
1924 wird sie für drei Jahre von der Ufa unter Vertrag genommen, aber bereits ein Jahr später (und nach fünf Filmen, in denen sie meist tragische Rollen verkörperte) an die Phoebus-Film ausgeliehen, wo sie sich 1927 in der Sternheim-Adaption *Die Hose* als Komödiantin profiliert.
Mit Einführung des Tonfilms scheint 1930 das Ende ihrer Karriere besiegelt. Sie nimmt aber Schauspiel- und Sprechunterricht und bleibt ihrer Art einer unbekümmerten, zuweilen grotesken Komik treu, die bald ihr Markenzeichen wird.
Unter Erich Engel, der sie häufig einsetzt, entsteht eine Reihe quirliger Alltagskomödien (*Wer nimmt die Liebe ernst?*, 1931, oder *Pechmarie*, 1934).
In Georg Jacobys Ufa-Komödie *Die Gattin* (1943) schlüpft sie als frisch verheiratete Architektenfrau in drei verschiedene Rollen und hilft damit ihrem Mann, an Aufträge zu kommen.
Nach Kriegsende spielt Jenny Jugo 1949 in Helmut Käutners *Königskinder*. Danach zieht sie sich von der Schauspielerei zurück. Heute lebt sie in der Nähe von Bad Heilbrunn (Oberbayern) auf einem Bauernhof.

Filme mit Jenny Jugo:

Blitzzug der Liebe (1925)
Liebe macht blind (1925)
Die Hose (1927)
Wer nimmt die Liebe ernst? (1931)
Fünf von der Jazzband (1931)
Pechmarie (1934)
Pygmalion (1935)
Nanette (1939)
Unser Fräulein Doktor (1940)
Viel Lärm umnixi (1941)
Die Gattin (1943)

Hildegard Knef

Als ihre Karriere begann, ging es gerade mit der alten Ufa zu Ende.

In drei Ufa-Produktionen hat Hildegard Knef unter ferner liefen mitgespielt. Sie wurzelte in der Ufa, war ein Produkt der Ufa-Nachwuchspflege, obwohl ihr ernstes Gesicht und ihr Habitus schon in die Trümmerlandschaften der deutschen Nachkriegszeit gehören, zu deren Ikone sie wurde.

Am 25. Dezember 1925 in Ulm als Tochter eines Prokuristen geboren, wächst sie in Berlin auf, ehe sie nach der Realschule mit 16 eine Lehre als Trickzeichnerin bei der Ufa beginnt. Anschließend besucht sie die Staatliche Filmschule Babelsberg und spielt Nebenrollen in Gerhard Lamprechts *Die Brüder Noltenius* (1944/45) und Erich Engels *Fahrt ins Glück* (1944/45).

Stark ihr Auftritt in Käutners *Unter den Brücken* (1945), der in seiner Hinwendung aufs Private als vorweggenommener Trümmerfilm gilt. Dann tritt im Frühjahr 1945 für Hildegard Knef eine Zwangspause ein, in der sie, als Junge verkleidet, in polnische Gefangenschaft gerät.

Sie flieht, erhält erste Engagements an Berliner Bühnen und dreht 1946, nun für die DEFA, Wolfgang Staudtes *Die Mörder sind unter uns,* in dem sie eine ehemalige KZ-Insassin spielt, die einen Kriegsheimkehrer davon abhält, sich an einem Nazi-Schergen zu rächen.

Mit Filmen wie *Zwischen gestern und morgen* (1947) oder *Nachts auf den Straßen* (1951) wird sie zur wichtigsten, durch *Die Sünderin* (1950) freilich auch zur umstrittensten Protagonistin des deutschen Nachkriegskinos.

Ab 1947 arbeitet sie für längere Phasen auch in den USA, wo sie als Hildegard Neff sowohl im Film wie auf dem Theater eine respektable Karriere macht.

Anfang der sechziger Jahre startet sie eine erfolgreiche Laufbahn als Chansonsängerin.

1972 veröffentlicht sie ihre Autobiographie (›Der geschenkte Gaul‹) und wohnt seit Beginn der achtziger Jahre abwechselnd in München, Berlin und Hollywood.

Ufa-Filme mit Hildegard Knef:

Die Brüder Noltenius (1944/45)
Fahrt ins Glück (1944/45)
Unter den Brücken (1945)

HILDE KRAHL

Als Hildegard Kolacny am 10. Januar 1917 in Brod an der Save (Kroatien) geboren. Die Tochter eines Eisenbahningenieurs wächst in Wien auf, beginnt 1935 nach dem Abitur ein Klavierstudium an der Musikakademie, wechselt aber bald auf eine Schauspielschule und wird im folgenden Jahr ans Theater an der Josefstadt engagiert, dessen Ensemblemitglied sie bis 1966 bleibt.

1936 gibt sie in *Die Puppenfee* ihr Filmdebüt.

Ihren Durchbruch erlebt Hilde Krahl 1937 mit der Hauptrolle in Willi Forsts *Serenade,* wo sie sich als junge Ehefrau eines verwitweten, älteren Musikers behaupten muß, der seine erste Frau nicht vergessen kann.

In Karl Hartls Ufa-Komödie *Gastspiel im Paradies* (1938) tritt sie als resolute, junge Managerin auf, die ein marodes Berghotel vor dem Ruin bewahrt.

Zum Star wird sie in Gustav Ucickys legendärer Puschkin-Verfilmung *Der Postmeister.* Ihre Darstellung der Dunja gehört zu den herausragenden Schauspielerleistungen des deutschen Films der Nazizeit.

1943 ist sie in dem mit vielen dokumentarischen Aufnahmen aus dem unzerstörten Berlin versehenen Film *Großstadtmelodie* zu sehen, in dem sie sich selbstbewußt von der Amateurknipserin aus einem bayerischen Provinznest zur Pressefotografin hocharbeitet.

Auch in *Träumerei* (1944) verkörpert sie als Pianistin Clara Schumann eine starke, autonome Frau, die selbstlos gegen die beginnende geistige Umnachtung ihres Mannes kämpft.

Nach Kriegsende beginnt ihre eigentliche Karriere als Bühnenschauspielerin, doch auch für Kino und Fernsehen dreht sie weiter, häufig unter ihrem Mann Wolfgang Liebeneiner, etwa in *Liebe 47* (1948/49) oder *Die Rivalin* (1968), aber auch unter zahlreichen anderen Regisseuren wie Robert Siodmak (*Mein Vater, der Schauspieler,* 1956), Helmut Käutner (*Das Glas Wasser,* 1960) oder Axel von Ambesser (*Begegnung im Herbst,* 1977).

Hilde Krahl lebt in Wien.

Filme mit Hilde Krahl:

SERENADE (1937)
GASTSPIEL IM PARADIES (1938)
DONAUSCHIFFER (1939/40)
DER POSTMEISTER (1940)
ANUSCHKA (1942)
GROSSSTADTMELODIE (1943)
TRÄUMEREI (1944)

ZARAH LEANDER

Die weibliche Galionsfigur der Ufa unter Goebbels, systematisch aufgebaut, als Renommierobjekt des nationalsozialistischen Staates zum Beweis für dessen Weltläufigkeit herumgereicht, wurde Zarah Leander Ende der dreißiger Jahre zum Ersatz-Star für Marlene Dietrich, die, trotz heftigen Werbens des Propagandaministers, keine Anstalten machte, nach Deutschland zurückzukehren.

Zarah Leander wird als Zarah Stina Hedberg am 15. März 1907 im schwedischen Karlstad geboren. Ihr Vater, ein Immobilienmakler mit musischen Neigungen, fördert früh das künstlerische Talent seiner Tochter: Mit vier bekommt sie Klavierunterricht und begleitet ihn bald beim Flötenspiel. Nach dem Besuch einer Klosterschule arbeitet sie 1922 für kurze Zeit als Verlagssekretärin. 1926 heiratet sie den Schauspieler Nils Leander, läßt sich aber drei Jahre später wieder von ihm scheiden. Die Autodidaktin beginnt Ende der zwanziger Jahre ihre Karriere als Sängerin und Schauspielerin an Tourneetheatern, mit denen sie ganz Skandinavien bereist. 1930 debütiert sie beim Film. Im gleichen Jahr erscheinen erste Schallplattenaufnahmen mit ihr.

1936 wird sie nach Wien engagiert, wo sie in Ralph Benatzkys Operette ›Axel an der Himmelstür‹ ihren Durchbruch schafft.

Schon in ihrem ersten deutschsprachigen Film, Geza von Bolvarys *Premiere,* spielt sie sich selbst: den Star einer großen Revue, die durch einen Mord im Zuschauerraum überschattet wird.

Sie wird darauf von der Ufa unter Vertrag genommen und zum Idol aufgebaut, dessen Image mit ihren frühen Filmen nichts mehr gemein hat, sondern gleich auf ihrem Nimbus als (Gesangs-)Star setzt.

In Detlef Siercks Melodramen *Zu neuen Ufern* und *La Habanera* (beide 1937) spielt sie unglücklich verliebte Sängerinnen.

Auch in den folgenden Ufa-Produktionen *Heimat* (1938), *Es war eine rauschende Ballnacht* (1939) verkörpert sie entsagende Frauenfiguren, was für weiblichen Kriegsalltag in Deutschland besondere Bedeutung erlangt.

Der Verzicht auf den geliebten Mann zugunsten der Pflichterfüllung für den Krieg steht denn auch im Mittelpunkt von Rolf Hansens *Die große Liebe* (1941/42), der mit 27 Millionen Zuschauern einer der erfolgreichsten deutschen Filme wird.

Unter Rolf Hansen, ihrem Lieblingsregisseur, entstehen *Der Weg ins Freie* (1940/41) und *Damals* (1942/43).

Mit ihrem Aussehen, dem schmachtenden Blick und ihren elegischen Liedern in zuweilen verruchten Rollen gab sie ihrem deut-

schen Publikum, was es zu jener Zeit nicht durfte: friedlich in die Ferne schweifen.

Obwohl sie Anfang der vierziger Jahre die bestbezahlte und prominenteste Ufa-Angestellte ist, lehnt es Hitler (der sich gern mit ihr öffentlich feiern läßt) wiederholt ab, sie zur Staatsschauspielerin zu ernennen. Sie selbst hat nie einen Hehl daraus gemacht, daß sie sich weniger als Schauspielerin denn als Sängerin begriff.

Nachdem sie seit Beginn des »totalen Krieges« darauf verzichten muß, den Großteil ihrer Gagen in schwedischen Kronen zu bekommen, und ihr Berliner Haus im Frühjahr 1943 einem Bombenangriff zum Opfer fällt, bricht sie ihren Vertrag mit der Ufa und kehrt nach Schweden zurück, wo sie bis nach Kriegsende geächtet wird.

Auch in Deutschland und Österreich kann sie erst wieder 1948 gastieren.

Ihre deutschen Nachkriegsfilme (u. a. *Gabriela,* 1950, *Cuba Cabana,* 1952, und *Ave Maria,* 1953) bleiben erfolglos. Mehr Glück hat sie dagegen mit ihren Gesangsauftritten, bei denen ihr die Zusammenarbeit mit ihrem Begleiter, dem Komponisten Arne Hülphers, zugute kommt, den sie 1956 heiratet. Bis in die siebziger Jahre unternimmt sie zahlreiche Abschiedstourneen. Im Oktober 1978 erleidet sie in Stockholm einen Schlaganfall. Dort stirbt sie am 23. Juni 1981.

Filme mit Zarah Leander:

ZU NEUEN UFERN (1937)
LA HABANERA (1937)
HEIMAT (1938)
ES WAR EINE RAUSCHENDE BALLNACHT (1939)
DER WEG INS FREIE (1941)
DIE GROSSE LIEBE (1941/42)
DAMALS (1943)

Gerda Maurus

Geboren in Wien am 25. August 1903 als Gertrud Maria Pfiel.
Die Tochter eines Chemikers begann nach ihrer Schul- und Ausbildungszeit ihre Karriere an Wiener Bühnen und wechselte 1928 zum Deutschen Theater nach Berlin.

Im gleichen Jahr stößt sie zur Ufa und debütiert dort gleich mit einer Hauptrolle: In Fritz Langs *Spione* spielt sie eine Top-Agentin, die sich in einen auf sie angesetzten Detektiv des gegnerischen Geheimdienstes verliebt.

In Langs Raumfahrt-Utopie *Die Frau im Mond* (1929) ist sie ebenso in einer Hauptrolle zu sehen wie in Johannes Meyers *Hochverrat* (1929), wo sie als polnische Anarchistin einen russischen Großfürsten erschießen will.

Als Theaterschauspielerin fällt Gerda Maurus der Übergang zum Tonfilm leicht. Sie wird bevorzugt in Krimis eingesetzt, ehe ihr Name ab Mitte der dreißiger Jahre an Bedeutung verliert.

Nach Kriegsende spielte Gerda Maurus zunächst an der Kleinen Komödie in München, dann, ab 1948, am Düsseldorfer Schauspielhaus.

Bis zu ihrem Tod im Juli 1968 drehte sie nur noch drei Filme.

Filme mit Gerda Maurus:

Spione (1928)
Die Frau im Mond (1929)
Hochverrat (1929)
Der Schuss im Tonfilmatelier (1930)
Der weisse Dämon (1932)
Daphne und der Diplomat (1937)

Mia May

Geboren in Wien am 2. Juni 1884 als Hermine Pfleger. Der Vater ist Bäcker. Während der Schulzeit bekommt sie privaten Ballettunterricht. Bereits mit fünf Jahren erste Auftritte im Jantsch-Theater auf dem Prater, wo sie als Kinderstar bekannt wird, später u. a. im Apollo-Theater, wo sie sich den Künstlernamen Herma Angelot zulegt.

Mit 18 heiratet sie ihren späteren Produzenten und Regisseur Julius Otto Mandl.

Mit Mandl, der sich inzwischen Joe May nennt, zieht sie 1910 nach Hamburg und tritt an einem Operettentheater auf.

Zwei Jahre später drehen die Mays in Berlin ihren ersten gemeinsamen Film *(In der Tiefe des Schachtes)*.

In den darauf folgenden zahlreichen (Detektiv-)Filmen ihres Mannes entwickelt sie sich zur ersten Diva des deutschen Kinos. Und sie wird einer der ersten Stars der neugegründeten Ufa.

1918/19 spielt sie unter der Regie ihres Mannes die Hauptrolle in dem dreistündigen Episodenfilm *Veritas Vincit,* der sie in drei verschiedenen Epochen, als unglücklich Liebende im frühchristlichen Rom, als mittelalterliches Burgfräulein und als Comtesse zu Anfang des 20. Jahrhunderts, zeigt.

Um den Erdball (statt durch die Zeit) reist sie in Joe Mays achtteiliger Abenteuerserie *Die Herrin der Welt* (1919), um ihren toten Geliebten zu rächen. An exotischen Schauplätzen spielt auch *Das indische Grabmal* (1921), wo sie sich in den Maharadscha von Eschnapur verliebt.

In Joe Mays *Tragödie der Liebe* (1923) sucht sie als Gräfin Manon Moreau den Mörder ihres Mannes.

Als die öffentliche Resonanz abnimmt und ihre Tochter (die ebenfalls Schauspielerin werden will) Selbstmord begeht, zieht sich Mia May Ende 1924 vom Film zurück.

1933 emigriert sie mit ihrem Mann über Frankreich nach Amerika. Mit Unterstützung von Kollegen eröffnen die Mays 1949 ein Wiener Restaurant in Los Angeles.

Dort stirbt Mia May am 28. November 1980.

Filme mit Mia May:

Veritas Vincit (1919)
Die Herrin der Welt (1919)
Das indische Grabmal (1921)
Tragödie der Liebe (1923)

IRENE VON MEYENDORFF

Irene Isabella Margarethe Freiin von Meyendorff, am 6. Juni 1916 in Reval geboren, wuchs in Bremen auf. Nach dem Abitur wollte sie Archäologin werden, volontierte aber dann bei der Ufa mit dem Ziel, Kulturfilme zu drehen.

Ihr Aussehen erregte die Aufmerksamkeit von Werner Klingler, der der 19jährigen die weibliche Hauptrolle in seinem Abenteuerfilm *Die letzten Vier von Santa Cruz* (1936) anbot. Inmitten einer von Geldgier und Haß getriebenen Expeditionstruppe gibt sie in ihrer vornehmen Zurückhaltung einen ruhenden Pol ab.

Nach ihrer Rückkehr von den Dreharbeiten auf den Kanarischen Inseln holt sie ihre Schauspielausbildung nach, spielt ab 1937 an Berliner Theatern (u. a. Volksbühne, Renaissance-Theater) und tritt regelmäßig in Filmen auf.

Ihre ätherische Anmut und heitere Gelassenheit bestimmen sie für edle Frauenfiguren, die sie am besten in Veit Harlans Ufa-Produktionen *Opfergang* (1944) und *Kolberg* (1945) verkörpert. In *Opfergang* duldet sie die Liebe ihres Mannes (Carl Raddatz) zur temperamentvollen Aels (Kristina Söderbaum) und macht sie schließlich zu ihrem eigenen Anliegen, indem sie am Fenster der Kranken vorbeireitet, um sie, anstelle ihres Mannes, der selbst erkrankt ist, zu grüßen. Als Königin Louise empfängt sie in *Kolberg* das Mädchen Maria (Kristina Söderbaum), das sich durch die feindlichen Linien zu ihr durchgeschlagen hat, und umarmt es: eine kurze, innige Begegnung zweier Frauen über soziale Grenzen hinweg.

Nach Kriegsende spielt Irene von Meyendorff in Konstanz am Theater, arbeitet aber auch bald wieder fürs Kino, u. a. in *Film ohne Titel* (1948), *Bildnis einer Unbekannten* (1954) oder *Rittmeister Wronski* (1954).

Irene von Meyendorff lebt heute in England (Hampshire).

Filme mit Irene von Meyendorff:

DIE LETZTEN VIER VON SANTA CRUZ (1936)
ZWEI FRAUEN (1938)
CASANOVA HEIRATET (1940)
OPFERGANG (1944)
PHILHARMONIKER (1944)
EINE KLEINE SOMMERMELODIE (1944)
KOLBERG (1945)

RENATE MÜLLER

Geboren am 26. April 1906 in München. Der Vater, Historiker und Philosoph, ist Chefredakteur der ›Münchner Zeitung‹, die Mutter malt.

Während der Schulzeit erhält Renate Müller Gesangsunterricht und möchte Opernsängerin werden.

1924 zieht die Familie nach Berlin.

Vor dem Abitur verläßt Renate das Gymnasium und beginnt eine Schauspielausbildung an der Reinhardt-Schule.

Ihr Theaterdebüt gibt sie im Frühjahr 1925 in Thale (Harz) als Helena in Shakespeares ›Sommernachtstraum‹ unter der Regie ihres Lehrers G. W. Pabst.

Danach spielt sie an verschiedenen Berliner Bühnen, u. a. am Lessing-Theater und am Staatstheater.

Reinhold Schünzel holt sie 1928 als seine Partnerin in *Peter, der Matrose* zum Film.

In der Ufa-Produktion *Liebling der Götter* (1930) spielt sie die Frau eines gefeierten Sängers (Emil Jannings), der, quasi als Strafe für seine vielen Seitensprünge, seine Stimme verliert.

In Gustav Ucickys *Das Flötenkonzert von Sanssouci* (1930) verkörpert sie eine vernachlässigte Majorsfrau, deren sich der Preußenkönig annimmt.

Ihre eigentliche Rolle aber findet sie in Wilhelm Thieles Komödie *Die Privatsekretärin* (1930/31), die sie international bekannt macht. Das Märchen vom selbstbewußten Provinzmädel, das durch seinen natürlichen Charme die Liebe seines Chefs gewinnt, macht sie zum Idol zigtausender ›Fräulein Müllers‹.

Die Einführung des Tonfilms kommt ihrer musikalischen Begabung entgegen. Ihr Lied aus dem Film ›Ich bin ja heut' so glücklich‹ wird zum Schlager.

Auch in den folgenden ihrer insgesamt 25 Filme, von denen sie acht mit Reinhold Schünzel dreht, ist sie stets das sorglose, patente Mädel, das die Widrigkeiten des Alltags zu meistern weiß, ohne sich dabei von Männern beeinträchtigen zu lassen.

Ihre Koketterie verdreht Männern den Kopf, ohne daß sie es nötig hätte, Vorteile daraus zu ziehen: Ihr Spiel bleibt gutmütig, nicht berechnend.

Ihr komisches Talent kann sie am besten in *Viktor und Viktoria* ausspielen, wo sie, in Frack und Zylinder, als Mann verkleidet für Verwirrung bei ihren Verehrern sorgt.

1934 muß sie wegen einer schweren Krankheit (wahrscheinlich Epilepsie) die Filmarbeit einschränken.

Seelisch belastend wirkt sich ihre unglückliche Beziehung zu einem jüdischen Emigranten aus, wegen der sie von Goebbels unter Druck gesetzt wird.

Mit nur 31 Jahren stirbt Renate Müller am 1. Oktober 1937 in einem Sanatorium bei Berlin.

Um ihren Tod ranken sich Gerüchte und Spekulationen, die möglicherweise von Goebbels als Flüsterpropaganda in Umlauf gebracht wurden: Danach soll Renate Müller drogensüchtig gewesen sein und durch einen Sprung aus dem Fenster der Klinik ihrem Leben selbst ein Ende gesetzt haben.

Renate Müller liegt in Berlin-Wilmersdorf begraben.

Filme mit Renate Müller:

DAS FLÖTENKONZERT VON SANSSOUCI (1930)
LIEBLING DER GÖTTER (1930)
DIE PRIVATSEKRETÄRIN (1930/31)
DER KLEINE SEITENSPRUNG (1931)
WIE SAG'S ICH MEINEM MANN? (1932)
SAISON IN KAIRO (1933)
WALZERKRIEG (1933)
VIKTOR UND VIKTORIA (1933)

KÄTHE VON NAGY

Am 4. April in Subotica (Ungarn) als Tochter eines Bankdirektors geboren. Nach dem Besuch einer Klosterschule möchte sie zunächst Schriftstellerin werden und zieht mit 15 allein nach Budapest. Der Vater läßt sie zurückholen und gibt ihr eine Stelle in einem seiner Büros. Zwei Jahre später geht sie nach Berlin, arbeitet dort als Korrespondentin für eine ungarische Zeitung und bekommt 1927 (nach vielen vergeblichen Vorstellungsgesprächen) ihre erste (Neben-)Rolle in *Männer vor der Ehe* des Regisseurs C. J. David.

Die Durchgängerin und *Republik der Backfische* (beide 1928) zeigen sie als übermütigen, verwöhnten Teenager.

Zur Ufa kommt sie 1931 und wird mit ihrem südländischen Aussehen die temperamentvolle, kapriziöse Partnerin von Willy Fritsch (*Ihre Hoheit befiehlt*, 1931), Heinz Rühmann (*Meine Frau, die Hochstaplerin*, 1931) oder Hans Albers (*Der Sieger*, 1932).

Besonders durch die Filmoperetten mit Willy Fritsch (etwa *Ich bei Tag und du bei Nacht*, 1932) gewinnt sie rasch an Popularität, so daß sie Mitte der dreißiger Jahre einer der beliebtesten Stars des deutschen Kinos ist.

Mit ihrem zweiten Ehemann zieht sie 1935 nach Paris, arbeitet aber von dort aus bis zum Kriegsausbruch für die Ufa (*Am seidenen Faden*, 1938).

Nach 1939 ist Käthe von Nagy für französische und italienische Produktionen tätig, ohne dort eine ähnliche Bedeutung zu erlangen. Sie spielt in Abenteuerfilmen frivole, launenhafte Frauen.

Nach dem Krieg sieht man sie noch mal in Arthur Maria Rabenalts *Die Försterchristel* (1952).

Käthe von Nagy stirbt 1973 in Paris.

Filme mit Käthe von Nagy:

IHRE HOHEIT BEFIEHLT (1931)
MEINE FRAU, DIE HOCHSTAPLERIN (1931)
RONNY (1931)
DAS SCHÖNE ABENTEUER (1932)
DER SIEGER (1932)
ICH BEI TAG UND DU BEI NACHT (1932)
DIE FREUNDIN EINES GROSSEN MANNES (1934)
LIEBE, TOD UND TEUFEL (1934)
PRINZESSIN TURANDOT (1934)
AM SEIDENEN FADEN (1938)

Pola Negri

Barbara Apolonia Chalupec, geboren am 31. Dezember 1894 in Lipno (Polen).

Sie besucht eine Theaterschule in Warschau und debütiert dort 1912 mit der Titelrolle in Gerhart Hauptmanns ›Hanneles Himmelfahrt‹.

Sie wird Mitglied des Warschauer Nationaltheaters und steht 1914 zum erstenmal vor der Kamera: In dem Melodram *Liebe und Leidenschaft* spielt sie eine Femme fatale, die ihre großbürgerliche Ehe ruiniert.

Damit hat sie ihr Rollenfach gefunden, in dem sie mal den gefährlichen, mal den naiven Vamp betont.

Bevor sie 1917 unter dem Namen Pola Negri nach Deutschland kommt, hat sie in Polen bereits zehn Filme gedreht.

Unter der Regie von Ernst Lubitsch schafft sie in *Die Augen der Mumie Ma* (1918) ihren Durchbruch. Mit Lubitsch und Georg Jacoby entsteht eine Reihe weiterer Filme, die sie rasch zum Star machen: *Carmen* (1918), *Madame Dubarry* (1919), *Sumurun* (1920). Häufig treibt sie darin die Männer, die ihr reihenweise verfallen sind, ins Verderben.

Wegen des großen Erfolgs von *Madame Dubarry* in den USA (der dort unter dem Titel *Passion* läuft) akzeptiert Pola Negri 1922 ein Angebot von der Paramount.

Als 1928 ihr Vertrag ausläuft, kehrt sie nach Europa zurück, wo sie zunächst in England und Frankreich dreht.

1935 gelingt ihr mit Willi Forsts *Mazurka* das Comeback in Deutschland.

Über Frankreich siedelt sie 1941 erneut in die USA über, dreht dort noch einen Film (*Hi Diddle Diddle*, 1943) und läßt sich in den fünfziger Jahren als Immobilienmaklerin in San Antonio/Texas nieder.

Am 31. Juli 1987 stirbt sie in San Antonio/Texas.

Filme mit Pola Negri:

DIE AUGEN DER MUMIE MA (1918)
CARMEN (1918)
MADAME DUBARRY (1919)
SUMURUN (1920)
DIE FLAMME (1922)
MAZURKA (1935)
UNSER KLEINE FRAU (1937)
DIE UNRUHIGEN MÄDCHEN (1938)

ANNY ONDRA

Anna Sophie Ondráková‹, am 15. Mai 1903 in Tarnów (Polen) geboren, wo ihr tschechischer Vater als k.u.k. Offizier stationiert ist. Sie wächst in Prag auf, tritt dort während ihrer Schulzeit als Statistin am Theater auf und wird mit 16 für ihren ersten Film *Die Dame mit dem kleinen Fuß* engagiert. Es folgt eine Reihe von Komödien, in denen sie meist sympathische, überdrehte Backfische spielt, etwa in Carl Lamacs *Gilly zum erstenmal in Prag* (1920).

Bis Mitte der zwanziger Jahre wird sie zur populärsten Komödiendarstellerin des tschechischen Kinos, mal ihren unschuldigen Charme, mal groteske Seiten ausspielend.

Ehe sie gegen Ende der Stummfilmära auch in Deutschland bekannt wird, dreht sie in Großbritannien mit Hitchcock *The Manxman* und *Blackmail* (beide 1929), zwei Filme, in denen sie beweisen kann, daß sie sich für ernste Rollen ebensogut eignet.

Auch ihre deutschen Arbeiten entstehen größtenteils unter Carl Lamac, mit dem sie fast 20 Jahre zusammenarbeitet.

1930 wird sie Teilhaberin einer gemeinsamen Produktionsfirma mit Lamac, in dessen Filmoperetten sie das stets sorglose, tanzende, singende Stehaufmädchen verkörpert.

Für die Ufa dreht sie 1935 unter Reinhold Schünzel *Donogoo Tonka* als quirlige Partnerin von Viktor Staal (in dessen erster Hauptrolle).

Als Carl Lamac 1938 Deutschland verläßt, schränkt Anny Ondra ihre Filmarbeit ein und zieht sich schließlich ganz zurück.

Nach dem Krieg sieht man sie noch einmal in *Schön muß man sein* (1951) sowie in einer Gastrolle in Helmut Käutners *Die Zürcher Verlobung* (1955/56).

Anny Ondra, die seit 1933 mit Boxweltmeister Max Schmeling verheiratet ist, lebt mit ihm bis zu ihrem Tod am 28. Februar 1987 in Hollenstedt (Lüneburger Heide).

Filme mit Anny Ondra:

DONOGOO TONKA (1936)
DER JUNGE GRAF (1936)
SEIN SCHEIDUNGSGRUND (1936)
DER GASMANN (1941)
HIMMEL, WIR ERBEN EIN SCHLOSS (1943)

107

OSSI OSWALDA

Oswalda Stäglich, am 2. Februar 1897 in Niederschönhausen bei Berlin geboren. Der Vater, Gymnasiallehrer, stirbt, als Ossi vier Jahre alt ist. Sie wächst mit der taubstummen Mutter auf. Während der Schulzeit erhält sie Tanzunterricht bei der Berliner Primaballerina Eva Peter.

Ernst Lubitsch wird auf die 19jährige aufmerksam, die an einem Berliner Theater als Chortänzerin auftritt.

Er macht sie zum Star seiner frühen Komödien: *Schuhpalast Pinkus* (1916), *Das Mädel vom Ballett* (1918), *Die Puppe* (1919).

In diesen Filmen (zwischen 1916 und 1920 sind es nicht weniger als 20) ist sie stets exaltiert, schrill: »Im stummen Film ist sie die Lauteste.«

1921 gründet sie eine eigene Produktionsfirma. Als Darstellerin verfeinert sie ihren Typ des extrovertierten, mondänen Girls.

1925 wird sie von der Ufa unter Vertrag genommen. Dort entstehen unter der Regie von Max Mack die Komödien *Das Mädchen mit der Protektion* (1925), *Die Fahrt ins Abenteuer* (1926) sowie *Blitzzug der Liebe* (1925) von Johannes Guter.

Eingeschworen auf die Ausdrucksmittel des Stummfilms bedeutet der Tonfilm ihr Ende: Nach 47 stummen Produktionen tritt sie nur noch in zwei Tonfilmen auf: in *Der keusche Josef* (1930) als Messerwerferin sowie in *Der Stern von Valencia* (1933) als Varieté-Tänzerin.

Während des Krieges lebt Ossi Oswalda in Prag, wo sie 1948 völlig verarmt stirbt.

Filme mit Ossi Oswalda:

BLITZZUG DER LIEBE (1925)
DAS MÄDCHEN MIT DER PROTEKTION (1925)
DIE FAHRT INS ABENTEUER (1926)
STERN VON VALENCIA (1933)

Henny Porten

Einer der ersten Stars des deutschen Kinos, weder Vamp noch große Dame, sondern solide Bürgersfrau mit dem Herz am rechten Fleck.

Als Tochter eines Opernsängers am 7. Januar 1890 in Magdeburg geboren, wächst Henny Porten zunächst in Breslau und Dortmund auf, wo der Vater ihr erste (Kinder-)Rollen am Stadttheater vermittelt, an dem auch er singt.

1895 zieht die Familie nach Berlin, Henny besucht eine Schule für höhere Töchter in Moabit und tritt bei Schüleraufführungen und Vereinsveranstaltungen auf.

Über ihren Vater, der von Kinopionier Oskar Messter mit der Inszenierung einiger ›Tonbilder‹ beauftragt wird, kommt Henny Porten 1906 zum Film.

In den kommenden zehn Jahren tritt sie als Hauptdarstellerin in über 100 (meist kurzen) Messter-Filmen auf, mit Titeln wie *Das Liebesglück der Blinden* (1919), *Pfarrers Töchterlein. Ein Mädchenschicksal* (1912) oder *Ihr bester Schuß* (1916).

Als 1917 die Messter-Filme in der neugegründeten Ufa aufgehen, wird Henny Portens Vertrag gegen ihren Willen dorthin transferiert.

Die Verfilmung von Gerhart Hauptmanns *Rose Bernd* (1919) mit ihr in der Titelrolle wird zum großen Erfolg für sie und die Ufa.

Henny Porten wird zum Idealbild der ›schönen Seele in der schönen Form‹ und trägt dazu bei, den frühen Kintopp vom Geruch billiger Unterhaltung zu befreien.

Ernst Lubitsch besetzt sie für seine Ufa-Großprojekte *Kohlhiesels Töchter* und *Anna Boleyn* (beide 1920).

Nachdem ihre Filme auch im Ausland, und dort besonders in den USA, hervorragend laufen, bekommen Henny Porten und Lubitsch ein Angebot aus Hollywood. Er geht, sie lehnt ab und gründet statt dessen 1921 ihre eigene Firma, die bereits zwei Jahre später und nach vier Flops in Konkurs geht. Ertragreicher ist ihre Zusammenarbeit mit Carl Froelich, die 1924 in eine gemeinsame Produktionsgesellschaft mündet, aus der 17 Henny-Porten-Filme hervorgehen.

Den Übergang zum Tonfilm schafft sie mühelos, dennoch gilt ihre Besetzung nach 1930 als Erfolgsrisiko.

Nach Hitlers Machtergreifung wird Henny Porten trotz ihrer Beliebtheit nur noch selten (und in Nebenrollen) besetzt, da sie es ablehnt, sich von ihrem jüdischen Mann scheiden zu lassen.

Erst 1943 bekommt sie durch Intervention Carl Froelichs, der in-

zwischen Reichsfilmkammer-Präsident ist, die Hauptrolle in dem Ufa-Zweiteiler *Familie Buchholz/Neigungsehe.*

Nach Kriegsende lebt Henny Porten in Ratzeburg, wo ihr Mann ein Behelfskrankenhaus für Flüchtlinge leitet.

Ab 1947 spielt sie in Lübeck und Hamburg Theater. Von wenigen kleinen Engagements abgesehen, erhält sie vom Film keine Angebote mehr.

Ein beruflicher Ausflug in die DDR wird ihr von der Westpresse verübelt. Andererseits bleiben ihre öffentlichen Aufrufe nach Arbeit ohne Wirkung.

Am 15. Oktober 1960, knapp ein Jahr nach ihrem Mann, stirbt Henny Porten in Ratzeburg (Holstein).

Filme mit Henny Porten:

ROSE BERND (1919)
MONICA VOGELSANG (1920)
KOHLHIESELS TÖCHTER (1920)
ANNA BOLEYN (1920)
DIE GEIER-WALLY (1921)
FAMILIE BUCHHOLZ (1944)
SYMPHONIE EINES LEBENS (1943)
NEIGUNGSEHE (1944)

Lya de Putti

Amália Putti wird am 10. Januar 1897 in Vecse (Ungarn) als jüngstes von vier Kindern einer Adelsfamilie geboren.

Ihr Vater ist Ulanenoffizier italienischer Abstammung, die Mutter eine ungarische Gräfin. Sie wächst in Siebenbürgen (heute Rumänien) auf, besucht eine Klosterschule und heiratet 1913 einen ungarischen Landrat, von dem sie zwei Töchter bekommt.

Die Ehe wird 1917 geschieden, Lya de Putti zieht nach Budapest, wo sie für kurze Zeit als Krankenschwester arbeitet.

Danach besucht sie eine Schauspielschule, wird an ein Budapester Revuetheater engagiert, wechselt 1920 nach Bukarest und bekommt 1920 ihre erste Hauptrolle in einem Film *(Die Wellen der Liebe)*. Im gleichen Jahr zieht sie nach Berlin, tritt in der ›Scala‹ auf und ist in *Zigeunerblut* (1920) zum erstenmal in einem deutschen Film zu sehen.

Joe May dreht mit ihr (in einer Nebenrolle) *Das indische Grabmal* (1921), F. W. Murnau setzt sie in *Der brennende Acker* (1921) und *Phantom* (1922) ein.

Ihr größter Erfolg wird E. A. Duponts Ufa-Produktion *Varieté*. Darin verführt sie einen gutgläubigen Artisten (Emil Jannings), betrügt ihn mit einem anderen und stiftet ihn zum Mord an seinem Partner an.

Aufgrund des US-Erfolges von *Varieté* wird Lya de Putti 1926 von ihrem Landsmann Adolph Zukor nach Hollywood geholt. Von den Universal-Studios erhält sie überwiegend Hauptrollen: Sie spielt eine Prinzessin bei Griffith (*Sorrows of Satan,* 1926), Cabaret-Tänzerinnen (*Midnight-Rose,* 1927), eine Försterstochter (*The Heart Thief,* 1927).

1927 kehrt sie nach Deutschland zurück, erleidet einen schweren Unfall (Fenstersturz), der für einen Selbstmordversuch gehalten wird.

Im November 1931 wird Lya de Putti in New York ein verschluckter Hühnerknochen operativ entfernt. Am 27.11.1931 stirbt sie infolge dieses Eingriffs an unvorhergesehenen Komplikationen.

Filme mit Lya de Putti:

Das indische Grabmal (1921)
Der brennende Acker (1921)
Phantom (1922)
Varieté (1925)
Manon Lescaut (1926)

Marika Rökk

Sie war das singende und tanzende Paradepferd der Ufa, der Garant für gute Laune.

Ihr naiver Charme und ihr überschäumendes Temperament machten sie zu einem der beliebtesten Showstars im Dritten Reich.

Durch ihr Allround-Talent vermittelt sie den Eindruck einer fröhlichen Dilettantin: Das Publikum identifiziert sich leichter mit ihr, was wiederum ihre Popularität steigert.

Mit ihrer gedrungenen, kräftigen Figur erreicht sie nie die eleganten Bewegungen ihres Vorbildes Eleanor Powell.

Etwas Handfestes ging von ihr aus, das Gegenteil einer so abgründigen Erscheinung wie Zarah Leander.

Marika Rökk wurde am 3. November 1913 als Kind ungarischer Eltern in Kairo geboren.

Sie wächst in Ungarn auf, besucht mit acht Jahren eine Tanzschule, wo sie neben den Standardformen auch Step und Akrobatik lernt.

Sie wird Mitglied der Hoffmann-Revue-Truppe und tritt mit 15 im Berliner Wintergarten auf.

Später nimmt sie in New York bei Nat Wayburn Unterricht und wird bei einem Tanzwettbewerb mit den Ziegfield-Girls als »Königin der Pirouette« gefeiert.

1933 erlebt sie in Budapest in dem Revuestück ›Stern in der Manege‹ ihren Durchbruch. Die Ufa wird auf sie aufmerksam und engagiert sie 1934 für den Zirkusfilm *Leichte Kavallerie,* der sie einem breiten Publikum bekannt macht. In rascher Reihenfolge werden nun mit ihr Musik- und Revuefilme produziert, die geschickt auf ihre Fähigkeiten als Tänzerin und ihre (eher bescheidenen) Qualitäten als Sängerin und Schauspielerin zugeschnitten sind. Immerhin sichert ihr ihre Vielseitigkeit einen konkurrenzlosen Stand unter den weiblichen Unterhaltungsstars des Dritten Reichs. Ihre besten Filme (*Heißes Blut,* 1936; *Eine Nacht im Mai,* 1938; *Kora Terry,* 1940) entstehen unter der Regie von Georg Jacoby, den sie schließlich heiratet.

In *Frauen sind doch bessere Diplomaten* (1941), dem ersten deutschen Farbfilm, spielt sie ebenso die Hauptrolle wie in *Die Frau meiner Träume* (1944), einem der besten deutschen Revuefilme.

Nach Kriegsende versucht Marika Rökk ihre Laufbahn mit Filmen des bewährten Genres fortzusetzen. Doch Titel wie *Fregola* (1948), *Die Czardasfürstin* (1951) oder *Sensation in San Remo* (1951) kamen beim Publikum immer weniger an, womit es ihr nicht anders ging als vielen ihrer Kolleginnen, die während des Dritten

Reiches populär gewesen waren und damit assoziiert wurden. So verlegt die Rökk ihre Arbeit Ende der fünfziger Jahre wieder auf die Bühne, wo sie durch ihre unverwüstliche Vitalität bis ins hohe Alter Triumphe feiert (so etwa in ›Die Gräfin vom Naschmarkt‹, 1980, einer Musicalproduktion des Theaters an der Wien).
Marika Rökk lebt heute in Baden bei Wien.

Filme mit Marika Rökk:

HEISSES BLUT (1936)
DER BETTELSTUDENT (1936)
GASPARONE (1937)
EINE NACHT IM MAI (1938)
HALLO, JANINE (1939)
KORA TERRY (1940)
FRAUEN SIND DOCH BESSERE DIPLOMATEN (1941)
TANZ MIT DEM KAISER (1941)
HAB MICH LIEB (1942)
DIE FRAU MEINER TRÄUME (1944)

Sybille Schmitz

wird am 2. Dezember 1909 in Düren als Tochter eines Konditors geboren.

Sie besucht eine Klosterschule in Lohr am Main, wechselt mit 15 auf eine Kölner Schauspielschule und zieht ein halbes Jahr später nach Berlin, um sich am Deutschen Theater bei Max Reinhardt vorzustellen. Er nimmt sie für die Rolle der Titania in Shakespeares ›Sommernachtstraum‹.

Ihr Filmdebüt gibt sie 1928 in *Freie Fahrt,* einem Werbefilm der SPD, in dem sie den Leidensweg einer jungen Arbeiterfrau darstellt. Carl Theodor Dreyer engagiert sie 1931 für seinen phantastischen Horrorfim *Vampir,* der ihr den Durchbruch und einen Vertrag mit der Ufa einbringt.

Als Partnerin von Hans Albers spielt sie ihre erste Hauptrolle in Karl Hartls *F. P. 1 antwortet nicht:* eine androgyne Frauenfigur in schwerer Ledermontur, die gemeinsam mit Albers einen Rettungsflug auf eine künstliche Ozeaninsel unternimmt.

Später verkörpert sie mit ihrem strengen Aussehen häufig fremde, geheimnisvolle Frauen: In Frank Wysbars *Fährmann Maria* (1936) ist sie eine Vertriebene, die durch die Kraft ihrer Liebe den Tod bezwingt, der ihr den Geliebten nehmen will; in *Hotel Sacher* tritt sie als russische Spionin auf.

Goebbels, der sie nicht mag, bremst ihre Karriere. Selten wird sie ihren Möglichkeiten entsprechend eingesetzt. Ausnahme: ihre Rolle der bankrotten baltischen Gräfin in Herbert Selpins *Titanic* (1943).

Im deutschen Nachkriegskino fallen für Sybille Schmitz kaum noch Aufträge ab. Anfang der fünfziger Jahre wird sie drogensüchtig, depressiv und unzuverlässig.

Am 13. April 1955 stirbt Sybille Schmitz an einer Überdosis Schlaftabletten.

Filme mit Sybille Schmitz:

F. P. 1 ANTWORTET NICHT (1932)
RIVALEN DER LUFT (1934)
FÄHRMANN MARIA (1936)
DIE UNBEKANNTE (1936)
HOTEL SACHER (1939)
TITANIC (1943)

121

ADELE SANDROCK

Wo immer eine starrköpfige Schwieger- oder Großmutter zu besetzen war, trat Adele Sandrock auf den Plan.

Ihr altmodisch-exaltierter Bühnenstil, der sie ebenso unerträglich macht wie die herrschsüchtigen ›Drachen‹, die sie verkörpert, trägt zuweilen Zeichen einer Selbstparodie.

Adele Sandrock wurde am 19. August 1863 in Rotterdam als Tochter eines ehemaligen preußischen Offiziers und einer Schauspielerin geboren. Sie wächst in Rotterdam und Berlin auf, wird von der Mutter ausgebildet und debütiert mit 15 in einem Berliner Vorstadttheater. Danach spielt sie an Theatern in Meiningen, Berlin, Moskau, Budapest und Wien (Burgtheater), wo sie sich mit Schnitzler befreundet.

Ihre zweite Karriere beginnt sie 1911 beim Film. In mehr als 100 Rollen prägt sie das Bild der egozentrischen, ihre Umgebung tyrannisierenden Alten. Mit ihrem Ernst und ihrem überzogenen Pathos wird sie in ihren späten Jahren überwiegend von Komödienregisseuren eingesetzt (Erich Engels, Carl Lamac, Georg Jacoby).

Adele Sandrock stirbt am 30. August 1937 in Berlin.

Filme mit Adele Sandrock:

DIE SCHLACHT VON BADEMÜNDE (1931)
DAS SCHÖNE ABENTEUER (1932)
MORGENROT (1932)
SKANDAL UM DIE FLEDERMAUS (1934)
AMPHITRYON (1935)
ALLES HÖRT AUF MEIN KOMMANDO (1935)

MAGDA SCHNEIDER

Magdalena Maria Schneider wurde am 17. Mai 1909 als Tochter eines Installateurs in Augsburg geboren.

Dort wächst sie auf, besucht eine katholische Mädchenschule, dann eine Handelsschule, arbeitet in einer Getreidefirma als Stenotypistin.

Nebenher nimmt sie Gesangs- und Ballettunterricht und debütiert am Augsburger Stadttheater als Soubrette in ›Die Fledermaus‹. Über Auftritte in Ingolstadt kommt sie für zwei Jahre ans Münchner Theater am Gärtnerplatz, wo sie u. a. mit Richard Tauber singt.

In München steht sie zum erstenmal vor der Kamera: als Zofe in Robert Lands Schülerdrama *Boykott* (1930).

Sie wird Ensemblemitglied im Wiener Theater an der Josefstadt und bekommt ihre erste Hauptrolle als Telefonistin in E. W. Emos *Fräulein, falsch verbunden* (1932).

Im gleichen Jahr dreht sie unter Max Ophüls ihren wohl schönsten Film: *Liebelei.* Mit der tragischen Rolle der Christine, die ihren Geliebten im Duell verliert und daran zugrunde geht, ist sie heute Legende.

Joe May, in dessen Komödie *Zwei in einem Auto* (1931/32) sie die Hauptrolle spielt, empfiehlt sie bei der Ufa.

Dort entsteht 1933 mit ihr Kurt Gerrons *Kind, ich freu' mich auf dein Kommen:* Über einen entlaufenen Terrier findet sie ihren künftigen Ehemann. Ihr Partner in dem Film hieß Wolf Albach-Retty und sollte es bald auch im Leben werden.

Die beiden heiraten im Jahr 1936 und drehen insgesamt acht Filme zusammen.

Es sind häufig Kino-Operetten, in denen sie unkomplizierte, charmante Mädels spielt (*Ein Mädel wirbelt durch die Welt,* 1933; *G'schichten aus dem Wienerwald,* 1934; *Frühlingsluft,* 1938).

Für die Ufa entsteht 1940 Gerhard Lamprechts *Mädchen im Vorzimmer,* eine Komödie aus dem Angestelltenmilieu, in der sie sich tapfer gegen Intrigen und Mißverständnisse zur Wehr setzt, um zuletzt doch noch ihr Glück zu machen.

Die Ehe mit Wolf Albach-Retty wird 1945 geschieden, und Magda Schneider arbeitet erst Anfang der fünfziger Jahre wieder fürs Kino, diesmal gemeinsam mit Tochter Romy, um deren Karriere sie sich von nun an zeitweise mehr kümmert als um die eigene.

In Hans Deppes *Wenn der weiße Flieder wieder blüht* (1953), Ernst Marischkas *Mädchenjahre einer Königin* (1954) oder seinen berühmten *Sissi*-Filmen spielt sie besorgte, umtriebige Mütter.

Ende der sechziger Jahre zieht sich Magda Schneider ganz vom Film zurück.
Heute lebt sie auf ihrem Hof Mariengrund bei Berchtesgaden.

Filme mit Magda Schneider:

ZWEI IN EINEM AUTO (1932)
KIND, ICH FREU' MICH AUF DEIN KOMMEN (1933)
EVA (1935)
DAS RECHT AUF LIEBE (1939)
MÄDCHEN IM VORZIMMER (1940)
ZWEI GLÜCKLICHE MENSCHEN (1941)
LIEBESKOMÖDIE (1943)
DIE HEIMLICHEN BRÄUTE (1944)

HANNELORE SCHROTH

Geboren am 10. Januar 1922 in Berlin. Die Eltern sind die Schauspieler Heinrich Schroth und Käte Haack.

Ihre Kindheit verbringt Hannelore in Berlin und Lausanne auf einem Mädchenpensionat. Mit 16 flieht sie nach Berlin zurück und bewirbt sich erfolgreich bei der Schauspielschule.

Zur Ufa bzw. deren Tochter Terra stößt Hannelore Schroth, als Roger von Norman sie kurz darauf für die Hauptrolle von *Spiel im Sommerwind* (1938) engagiert, eine Art frühes Road-Movie um zwei junge Leute, die im Hanomag durch Deutschland fahren und sich dabei näherkommen.

Der Erfolg dieses Debüts brachte ihr die Titelrolle in *Kitty und die Weltkonferenz* (1939), Helmut Käutners erstem Film, in dem sie sich als kleine Hotelmaniküre selbstbewußt unter Ministern, Diplomaten und Journalisten bewegt.

Ihre Wandlungsfähigkeit kann sie in Viktor Tourjanskys *Liebesgeschichten* (1943) zeigen: ein Generationenfilm, der sie vom Backfisch im Berlin der Jahrhundertwende bis zur Mutter einer beinah erwachsenen Tochter (ebenfalls von ihr gespielt) zeigt.

Hannelore Schroths wichtigster Film wird Käutners *Unter den Brücken,* der in der Schlußphase des Krieges, im Herbst 1944, entstand und atmosphärisch das Ende vorwegnimmt.

Nach Kriegsende widmete sich Hannelore Schroth verstärkt der Theaterarbeit.

Auch ihre Kinokarriere ging weiter. In Unterhaltungsfilmen der fünfziger Jahre mit Titeln wie *Das unmögliche Mädchen* (1951), *Geliebte Corinna* (1956) oder *Alle lieben Peter* (1959) wurde sie regelmäßig besetzt.

Am 7. Juli 1987 starb Hannelore Schroth in München.

Filme mit Hannelore Schroth:

SPIEL IM SOMMERWIND (1938)
KITTY UND DIE WELTKONFERENZ (1939)
WEISSER FLIEDER (1940)
SIEBEN JAHRE GLÜCK (1941)
LIEBESGESCHICHTEN (1943)
SOPHIENLUND (1943)
EINE FRAU FÜR DREI TAGE (1944)
UNTER DEN BRÜCKEN (1945)

KRISTINA SÖDERBAUM

Wie Zarah Leander oder Marika Rökk gehörte auch Kristina Söderbaum zu den Vorzeigedamen der Ufa unter Goebbels. Zudem wurde sie durch ihre berufliche und private Liaison mit Veit Harlan mit den Machthabern des Dritten Reichs in Verbindung gebracht. Sie war, an der Seite ihres Mannes, eine Person des öffentlichen Lebens.

Nach Kriegsende erst wurde ihr dieser Umstand voll bewußt, als sie und Harlan quasi als offizielle Künstler des Nationalsozialismus zur Rechenschaft gezogen und boykottiert wurden.

Geboren wird Kristina Söderbaum am 5. September 1912 in Stockholm. Ihr Vater ist Chemieprofessor und zeitweilig Präsident der Schwedischen Akademie der Wissenschaften, die den Nobelpreis vergibt.

Kristina besucht die Volksschule in Stockholm, später Internate in der Schweiz und in Frankreich.

1933 zieht sie nach Berlin, um Kunstgeschichte zu studieren, bricht ihr Studium aber nach wenigen Semestern ab und nimmt Schauspielunterricht.

Durch einen Ufa-Nachwuchswettbewerb bekommt sie eine kleine Rolle in Erich Waschnecks *Onkel Bräsig* (1936), ein Debüt, das ohne Folgen bleibt.

Über eine Freundin lernt sie 1937 Veit Harlan kennen.

Er besetzt mit ihr die Hauptrolle seiner Max-Halbe-Verfilmung *Jugend* (1938), in der sie – eine 17jährige Waisin von unehelicher Geburt – aus Angst, schwanger zu sein, Selbstmord begeht.

Auch in den darauffolgenden Filmen Harlans, den sie 1939 heiratet, spielt sie kindliche Frauen mit einer Neigung zum Selbstopfer. Daß sie dafür in dreien ihrer elf Filme das Wasser wählte, trug ihr den Titel ›Reichswasserleiche‹ ein.

Aus dem Abstand betrachtet, überdauern ihre Leistungen solche Kategorisierungen.

Die Goldene Stadt (1942), *Immensee* (1943) und besonders *Opfergang* (1943/44) gehören durch ihre Darstellung reiner, zerbrechlicher Mädchengestalten inmitten einer feindlichen, gegen sie verschworenen Umwelt zu den schönsten deutschen Melodramen.

In *Kolberg* (1945) irrt sie zuletzt rußgeschwärzt und mit apathischem Gesichtsausdruck durchs Geschehen: Die Apotheose auf die deutsche Frau und deren Durchhaltewillen, wie sie von Goebbels beabsichtigt war, gerät unvermittelt zur latenten Anklage. (Hierzu paßt, daß Goebbels Teile des Films, die seiner Meinung nach zu ›defätistisch‹ geraten waren, herausschneiden ließ.)

Nach Kriegsende bleibt Kristina Söderbaum an der Seite ihres Mannes in Deutschland, der sich einer Prozeßflut und jahrelangen Gegenkampagnen zu stellen hat.

Anfang der fünfziger Jahre versuchen die beiden ihr Comeback.

Doch Filme wie *Die unsterbliche Geliebte* (1951), *Hanna Amon* (1951) oder *Ich werde dich auf Händen tragen* (1958) bleiben alle erfolglos.

Nach dem Tod ihres Mannes 1964 zieht sich Kristina Söderbaum endgültig von der Schauspielerei zurück und wird Fotografin.

Heute lebt Kristina Söderbaum in München.

Filme mit Kristina Söderbaum:

JUGEND (1938)
VERWEHTE SPUREN (1938)
DIE GOLDENE STADT (1942)
IMMENSEE (1943)
OPFERGANG (1944)
KOLBERG (1945)

MARIA VON TASNADY

Geboren am 16. November 1909.

Nach ihrer Schul- und Ausbildungszeit wurde sie ans Staatstheater Oldenburg engagiert, ehe sie Anfang der dreißiger Jahre nach Berlin kam. Dort trat sie an verschiedenen Bühnen auf und debütierte 1931 in Conrad Wienes Komödie *Durchlaucht amüsiert sich.* Ihr nächster Film, *Wenn die Liebe Mode macht* (1932), entstand bei der Ufa, wo sie zunächst in Nebenrollen besetzt wurde.

1936 spielte sie in Detlef Siercks *Schlußakkord* ein unter Mordverdacht geratenes Kindermädchen, das sich als die aus den USA heimgekehrte Mutter ihres Zöglings entpuppt.

In *Frau Sylvelin* (1938) reist sie in der Rolle einer vernachlässigten Industriellengattin allein nach Venedig und verliebt sich in einen österreichischen Gutsbesitzer, kehrt aber pflichtschuldig zu ihrem Mann (Heinrich George) zurück, als dessen Firma in Turbulenzen gerät und er sich auf seine Frau besinnt.

Sie verkörpert gebildete, eigenständige Frauen mit zuweilen kapriziösen Zügen. So auch in Nunzio Malasommas *Die Frau ohne Vergangenheit* (1939), wo sie, als verwöhnte Tochter aus gutem Haus und Rivalin von Sybille Schmitz, mit kaltem Egoismus ihre Interessen vertritt.

Ab 1936 gehörte Maria von Tasnady zum Ensemble des Berliner Schillertheaters. Von 1942 bis zum Kriegsende weitete sie ihre Filmarbeit nach Italien und Ungarn aus. In den fünfziger Jahren trat sie gelegentlich in deutschen Melodramen und Heimatfilmen auf, etwa in *André und Ursula* (1955) oder Harald Reinls *Die Prinzessin von St. Wolfgang* (1957).

Maria von Tasnady lebt heute in München.

Filme mit Maria von Tasnady:

SCHLUSSAKKORD (1936)
MENSCHEN OHNE VATERLAND (1937)
FRAU SYLVELIN (1938)

Herta Thiele

Der Fall einer hochbegabten, jungen Schauspielerin, die Anfang der dreißiger Jahre als kommendes Talent galt, nach 1933 wegen ihrer politischen Gesinnung ausgegrenzt wurde und nicht die Karriere machte, die sie aufgrund ihrer Fähigkeiten leicht hätte machen können; der Fall einer vergebenen Chance also.

Herta Thiele wurde am 8. Mai 1908 in Leipzig als Tochter eines Schlossermeisters geboren. Nach Abitur und kurzer Ausbildung debütiert sie 1928 am Leipziger Schauspielhaus in Ferdinand Bruckners ›Krankheit der Jugend‹. Zum Film kommt sie durch die Hauptrolle in dem Internatsdrama *Mädchen in Uniform* (1931). Ihr burschikoses Aussehen und ihre unsentimentale Art gefallen auch Bert Brecht und Slatan Dudow, die sie in ihrem marxistischen Lehrfilm *Kuhle Wampe oder: Wem gehört die Welt?* (1932) besetzen: alles beileibe *keine* Ufa-Filme. Zur Ufa verirrt sich Herta Thiele, die aus ihrer linken Haltung keinen Hehl macht, mit einer einzigen Produktion: In *Mensch ohne Namen* (1932) spielt sie die Tochter eines deutschen Industriellen (Werner Krauß), der mit Gedächtnisschwund aus russischer Kriegsgefangenschaft heimkehrt und von seinen Angehörigen nicht mehr erkannt wird.

Weil sie sich 1933 weigert, in dem Horst-Wessel-Film *Heinz Westmar* mitzuspielen, wird sie 1936 aus der Reichsfilmkammer ausgeschlossen.

Anfang 1937 emigriert Herta Thiele in die Schweiz, wo sie sich als Laborantin und Hausangestellte durchschlägt. Erst 1942 bekommt sie ein Engagement am Berner Stadttheater. 1949 kehrt sie nach Deutschland zurück und läßt sich in der neugegründeten DDR nieder, wo sie bis zu ihrem Tod Theater spielt und in zahlreichen Produktionen der Ufa-Nachfolgerin DEFA zu sehen ist. Am 5. August 1984 stirbt Herta Thiele in Ost-Berlin.

Filme mit Herta Thiele:

Mädchen in Uniform (1931)
Kuhle Wampe oder: Wem gehört die Welt? (1932)
Mensch ohne Namen (1932)
Anna und Elisabeth (1933)
Kleiner Mann – was nun? (1933)
Reifende Jugend (1933)

OLGA TSCHECHOWA

Auch eine der offiziellen Diven des Dritten Reiches, mit der sich das Regime gerne schmückte, schon wegen ihrer großbürgerlichen Herkunft und ihrer Weltgewandtheit.

Geboren wurde Olga Tschechowa als Olga von Knipper-Dolling am 26. April 1897 in Alexandropol als Tochter eines deutschstämmigen Eisenbahningenieurs und Geheimen Staatsrats.

Ihre Tante war Schauspielerin und mit Anton Tschechow verheiratet, für ihre nicht weniger musisch veranlagte Mutter soll Tschaikowsky geschwärmt haben.

Tolstoi war ein Freund der Familie, die 1902 nach Moskau, dann nach Petersburg übersiedelte.

Mit 16 zog Olga nach Moskau zurück, um bei ihrer Tante und in der Schule Konstantin Stanislawskis die Schauspielerei zu erlernen.

Ein Jahr später heiratet sie ihren Cousin, Michael Tschechow, von dem sie ein Kind erwartet.

Die Ehe geht bald in die Brüche, Olga schließt sich einer Schauspielertruppe an, die, kurz nach der Revolution, gegen Naturalien auftritt.

Anfang 1921 verläßt sie die Sowjetunion Richtung Deutschland und schlägt sich in Berlin als Pressezeichnerin und Plakatmalerin durch.

Über den Produzenten Erich Pommer lernt sie Friedrich Wilhelm Murnau kennen, der ihr eine Rolle in seinem Film *Schloß Vogelöd* (1921) anbietet.

In den nächsten Jahren tritt sie in ca. 40 Stummfilmen auf, lernt inzwischen so gut Deutsch, daß sie in einem der ersten und erfolgreichsten Ufa-Tonfilme der frühen dreißiger Jahre eine Nebenrolle spielen kann: *Die Drei von der Tankstelle* (1930).

In *Ein gewisser Herr Gran* (1933) sieht man sie als ausländische Agentin, die hinter Geheimdokumenten zur Abwehr feindlicher Angriffe her ist: eine eher untypische Rolle für die Tschechowa, die sich im Film des Dritten Reiches als *grande dame par excellence* etabliert.

Ob als Gräfin, Bankiersgattin oder selbständige Unternehmerin: stets umgibt sie Noblesse, bewahrt sie die Form – was ihr Auftreten freilich auch unverbindlich macht.

In Erich Waschnecks *Gewitterflug zu Claudia* (1937) sieht man sie, angetan mit Fuchspelzstola und Perlenschmuck, als mondäne Sängerin unterwegs zwischen den Flughäfen Europas.

In Hans Deppes Komödie *Gefährlicher Frühling* (1943) ist sie der

heimliche Mittelpunkt eines Ehemaligen-Treffens in der schwäbischen Provinz.

Nach Kriegsende versucht Olga Tschechowa (u. a. mit einer eigenen Produktionsgesellschaft) im Filmgeschäft zu bleiben; ohne Erfolg. 1955 gründet sie in München eine Kosmetikfirma, über die sie Schönheitsprodukte vertreibt, bald mit mehreren Filialen in ganz Europa.

Hin und wieder gastiert sie bei Theater und Fernsehen.

Am 9. März 1980 stirbt sie in München.

Filme mit Olga Tschechowa:

DIE DREI VON DER TANKSTELLE (1930)
EIN GEWISSER HERR GRAN (1933)
HEIDESCHULMEISTER UWE KARSTEN (1933)
GEWITTERFLUG ZU CLAUDIA (1937)
BEFREITE HÄNDE (1939)
REISE IN DIE VERGANGENHEIT (1943)
GEFÄHRLICHER FRÜHLING (1943)

Gisela Uhlen

Geboren in Leipzig am 16. Mai 1919 als Tochter eines Sängers.

Mit elf Jahren reißt sie von zu Hause aus, weil sie in Amerika Tänzerin werden will, kommt aber nur bis Hamburg.

Nach zwei weiteren Ausbruchsversuchen erlauben ihr die Eltern schließlich, Tanzunterricht zu nehmen. Mit 15 tritt sie heimlich in Leipziger Kabaretts auf und spielt kleine Rollen an verschiedenen Theatern der Stadt.

1936 zieht sie nach Berlin und bekommt sofort ihre erste (Haupt-) Rolle in einem Film: Hans Peter Buchs Melodram *Annemarie* handelt von der Liebe zwischen einer jungen Organistin (Gisela Uhlen) und einem Rekruten, der kurz vor Beginn des Ersten Weltkriegs mit seiner Geliebten einen glücklichen Sommer verbringt, ehe er einrücken muß und fällt.

Ein Film, der trotz seiner pazifistischen Tendenzen unbeanstandet in die Kinos kam und Gisela Uhlen bekannt machte.

Keinen Gefallen tat sie sich dagegen mit ihrem Auftritt in Erich Waschnecks antisemitischem Hetzfilm *Die Rothschilds* (1940), einem Vorläufer von Harlans *Jud Süß* (1940).

Anpassungsfähig erweist sie sich in Erich Waschnecks *Die unvollkommene Liebe* (1940), wo sie (durch Willy Fritsch, der sich in sie verliebt) den Sprung vom süddeutschen Bauernmädel in die bessere Hamburger Gesellschaft schafft – freilich nicht ohne vorher ihren Teddybär mit auf die Reise zu nehmen.

Ebenso überzeugend ist sie in *Zwischen Hamburg und Haiti* (1940) als makellose junge Frau, die für einen heimgekehrten Kaufmann die ideale Heiratskandidatin zu sein scheint, ehe aufkommt, daß sie im Hippodrom arbeitet und ein uneheliches Kind hat.

Nach Kriegsende arbeitete Gisela Uhlen weiter für Theater und Film. Aus der Verbindung mit Wolfgang Kieling, den sie 1953 in dritter Ehe heiratete, ging die Schauspielerin Susanne Uhlen hervor.

Gisela Uhlen lebt in Zürich.

Filme mit Gisela Uhlen:

Annemarie (1936)
Die unvollkommene Liebe (1940)
Zwischen Hamburg und Haiti (1940)
Zwischen Himmel und Erde (1942)
Der stumme Gast (1945)

ANNELIESE UHLIG

Geboren am 27. August 1918 in Essen. Nach Trennung der Eltern bleibt Anneliese Uhlig bei der Mutter, wächst in Dortmund, Leipzig und Braunschweig auf, ehe sie 1937 nach Berlin kommt. Dort nimmt sie Schauspielunterricht und macht eine Ausbildung als Modezeichnerin.

Im gleichen Jahr debütiert sie neben Attila Hörbiger und Lucie Höflich in dem Artistenfilm *Manege,* in dem sie eine ›Todeswagen‹-Nummer zu bestehen hat.

Sie wird ans Berliner Schillertheater engagiert und stößt 1939 mit Georg Jacobys *Der Vorhang fällt* zur Ufa: ein Krimi aus dem Theatermilieu, in dem sie aus Eifersucht eine Kollegin erschießt. Mit *Kriminalkommissar Eyck* (1940) bleibt sie dem Genre treu, macht als mondäne Sängerin dem in sie verliebten Paul Klinger, der eigentlich einen Mord aufklären soll, das Leben schwer.

Wegen persönlicher Differenzen mit Goebbels arbeitete Anneliese Uhlig ab 1942 in Italien, wo sie (u. a. für Carlo Ponti) fünf Filme drehte.

1944 kehrt sie, kriegsdienstverpflichtet, nach Deutschland zurück. *Solistin Anna Alt,* ihr reifster Film, entsteht 1944 für die Tobis: Eine Musikerehe droht zu zerbrechen, weil der Mann (Will Quadflieg) sich durch die Enge ihrer Beziehung kreativ nicht entfalten kann. Da verzichtet Anneliese Uhlig auf ihn, geht allein auf Gastspielreisen und lanciert aus der Ferne sein Fortkommen.

Nach Kriegsende heiratet Anneliese Uhlig einen Amerikaner und schlägt eine journalistische Laufbahn ein.

Zwischen 1946 und 1966 arbeitet sie als Auslandskorrespondentin in Italien, Österreich und den USA, wohin sie 1948 übersiedelt. Seit den frühen fünfziger Jahren tritt sie aber auch in Deutschland wieder gelegentlich bei Theater, Film und Fernsehen auf.

Anneliese Uhlig lebt in Santa Cruz (Kalifornien).

Filme mit Anneliese Uhlig:

MANEGE (1937)
DER VORHANG FÄLLT (1939)
KRIMINALKOMMISSAR EYCK (1940)
HERZ OHNE HEIMAT (1940)
VERDACHT AUF URSULA (1942)
UM 9 KOMMT HARALD (1943)
DER MAJORATSHERR (1944)
SOLISTIN ANNA ALT (1944)

145

Luise Ullrich

Geboren in Wien am 30. Oktober 1911 als Tochter eines Majors.
Nach der mittleren Reife verläßt sie die Schule und beginnt ihre
Schauspielausbildung. Mit 15 debütiert sie am Wiener Volkstheater, mit 19 wird sie nach Berlin an die Volksbühne am Alexanderplatz engagiert. Ein Jahr später bekommt sie ihre erste Filmrolle in
einem zweiteiligen Gedenkfilm zu Goethes 100. Todestag.
Luis Trenker besetzt sie als seine Partnerin in *Der Rebell* (1932):
die junge Verlobte des Tiroler Freiheitskämpfers, die ihm durch
dick und dünn treu bleibt.
Im gleichen Jahr dreht Max Ophüls mit Luise Ullrich *Liebelei.*
Als Gegenpart der schwärmerischen Christine (Magda Schneider)
spielt sie Mizzi, die praktischere der beiden Freundinnen.
Während der dreißiger Jahre verkörpert sie natürliche, heitere
Mädchen ohne Allüren.
Durch *Die Liebesschule* (1940), eine Komödie, in der sich zwei
Chefs um die Gunst der kleinen Sekretärin bemühen, kam Luise
Ullrich 1940 zur Ufa.
Josef von Bakys *Annelie* (1941) zeichnet das Leben einer Bürgers-
frau von der Wiege bis zu ihrem Tod.
Nach Motiven von Ibsen entstand 1943 Harald Brauns *Nora,* der
Luise Ullrich – dem Zeitgeist entsprechend – mehr als duldende
denn als aufbegehrende Bürgersfrau zeigt.
Nach Kriegsende konnte Luise Ullrich ihre Karriere fortsetzen.
Im Kino der fünfziger Jahre wird sie zur tapferen, patenten Mut-
ter, ausgestattet mit einem gesunden Selbstbewußtsein, das ihr er-
laubt, sich aufzuopfern, ohne dabei die eigenen Belange zu vergessen.
Ihr lakonischer Witz und ihre Herzlichkeit sichern ihr bis ins Alter
große Beliebtheit.
Am 22. Januar 1986 stirbt sie in München.

Filme mit Luise Ullrich:

REGINE (1934)
VIKTORIA (1935)
SCHATTEN DER VERGANGENHEIT (1936)
VERSPRICH MIR NICHTS (1937)
ICH LIEBE DICH (1938)
LIEBESSCHULE (1940)
ANNELIE (1941)
NORA (1944)

Rosa Valetti

Geboren als Rosa Vallentin am 17. März 1878 in Berlin.

Schon während ihrer Schulzeit macht die Tochter eines Großindustriellen ihre ersten Theatererfahrungen auf Berliner Vorstadtbühnen.

Später spielt sie u. a. am Berliner Residenztheater, am Theater am Nollendorfplatz und am Deutschen Schauspielhaus.

Nach dem Ersten Weltkrieg schließt sie sich Max Reinhardts Kabarett ›Schall und Rauch‹ an und gründet 1920 das ›Café Größenwahn‹, das zum bedeutendsten Kabarett der zwanziger Jahre wird.

1911 ist sie zum erstenmal in einem Film zu sehen: *Madam Potiphar* von Viggo Larsen.

Bevor Rosa Valetti 1925 in F. W. Murnaus Ufa-Produktion *Tartüff* (in der Rahmenhandlung) die Rolle der Haushälterin spielt, die sich als Erbschleicherin ihres Herrn herausstellt, tritt sie in mehr als 50 Filmen auf, darunter, als verkommene, proletarische Mutter, Reinhold Schünzels *Das Mädchen aus der Ackerstraße.*

Sie verkörpert vom Leben gebeutelte, durchtriebene Frauen, die durch Witz und Zähigkeit den aufrechten Gang behalten haben.

Berühmt wurde sie durch die Rolle der Guste in Josef von Sternbergs *Der Blaue Engel,* wo sie, als Frau mit Erfahrung, gegen Marlene Dietrichs überschwengliche Lola ihre nüchterne Lebenserfahrung setzt.

Prägend auch ihr kurzer Auftritt in Fritz Langs *M* (1931) als Wirtin eines Amüsierkellers, der zum Ziel einer ergebnislosen Polizeirazzia wird.

Im Frühjahr 1933, nach Hitlers Machtergreifung, emigriert Rosa Valetti nach Österreich. Ihre Filmkarriere ist damit beendet. Sie gastiert an Bühnen in Wien (Theater an der Josefstadt), Prag und Palästina, ehe sie am 10. Dezember 1937 in Wien stirbt.

Filme mit Rosa Valetti:

Tartüff (1925)
Asphalt (1929)
Der Blaue Engel (1930)
M (1931)
Zwei Herzen und ein Schlag (1932)

GRETHE WEISER

Mathilde Ella Dorothea Margarethe Nowka wird am 27. Februar 1903 als Tochter eines Bauunternehmers in Hannover geboren.

Sie wächst in Dresden auf, besucht dort eine Höhere-Töchter-Schule und heiratet mit 18 den Wiener Kaufmann Josef Weiser.

Das Ehepaar zieht nach Berlin, pachtet am Kurfürstendamm ein Kabarett, in dem Grethe ihre mimischen Fähigkeiten ausprobiert. Sie nimmt Gesangsunterricht und tritt in den folgenden Jahren an Berliner Kabaretts und Theatern auf.

Ihrer erste Filmrolle spielt sie – ungenannt – in *Männer vor der Ehe* (1927): eine Zofe.

Von da an verkörpert sie Köchinnen, Hausmädchen und ähnliches Dienstpersonal, dem sie durch Witz und Schlagfertigkeit Glanzlichter aufsetzt.

Ihre Berliner Schnauze und ihre Fröhlichkeit machen sie bis Mitte der dreißiger Jahre zu einer der beliebtesten Nebendarstellerinnen.

In Carl Boeses *Mädchen für alles* (1937) wird die Nebenfigur zur Hauptperson, die nach einigen Verwirrungen ihr Glück mit einem Flieger macht.

Ihre berühmteste Herrschaft ist Zarah Leander in Rolf Hansens *Die große Liebe* (1942), der sie – in all ihrem unerfüllten Glück – patent zur Seite steht – und dabei selbst ihre Probleme als Soldatenbraut hat.

Nach Kriegsende spielt Grethe Weiser in Hamburg Theater und arbeitet ab 1948 wieder kontinuierlich fürs Kino.

In knapp 90 Filmen ist sie seither zu sehen, als ›Herz mit Schnauze‹ in den fünfziger Jahren, dann zunehmend als ältere, schnoddrige Dame, die ihren (Mutter-)Witz nie verlernt hat.

Am 2. Oktober 1970 stirbt Grethe Weiser nach einem Autounfall bei Bad Tölz.

Filme mit Grethe Weiser:

KIND, ICH FREU' MICH AUF DEIN KOMMEN (1933)
DIE GÖTTLICHE JETTE (1937)
MÄDCHEN FÜR ALLES (1937)
GABRIELE EINS, ZWEI, DREI (1938)
MEINE FREUNDIN BARBARA (1939)
DIE GROSSE LIEBE (1942)
WIR MACHEN MUSIK (1942)
EIN WALZER MIT DIR (1943)
FAMILIE BUCHHOLZ (1943/44)

ILSE WERNER

Ilse Charlotte Still kommt am 11. Juni 1921 auf Batavia zur Welt. Ihr Vater ist holländischer Exportkaufmann, ihre Mutter Deutsche. 1932 zieht die Familie nach Europa zurück und läßt sich in Frankfurt nieder. Zwei Jahre später zieht sie nach Wien um, wo Ilse, nach Ende der Realschule, das Max-Reinhardt-Seminar besucht. Unter Max Reinhardt debütiert sie 1938 am Theater an der Josephstadt.

Im gleichen Jahr steht sie zum erstenmal vor der Kamera: In Geza von Bolvarys *Die unruhigen Mädchen* erlebt sie als junges, patentes Mädel zusammen mit drei Freundinnen das Abenteuer des Erwachsenwerdens.

Die Ufa wird auf sie aufmerksam und schließt einen Vertrag mit der 16jährigen ab.

Ihr knabenhafter Reiz, gepaart mit einer charmanten Direktheit, zieht erfahrene Männer an – denen sie ihrerseits zugetan ist:

In *Frau Sixta* (1938) spannt sie der Mutter den Freund aus, in *Ihr erstes Erlebnis* (1939) verliebt sie sich in ihren Kunstprofessor, in *Bal Paré* verdreht sie beim Münchner Fasching als Vorstadtmädel einem norddeutschen Großindustriellen den Kopf, in *Hochzeit auf Bärenhof* (1942) soll sie einen Mann heiraten, der ihr Großvater sein könnte.

Einer ihrer besten (von Goebbels verbotenen) Filme entsteht 1938: Rolf Hansens *Das Leben kann so schön sein* erzählt vom Alltag einer jungen Angestellten, die sich, trotz drückender sozialer Not und gegen den Willen ihres zaudernden Mannes (Rudi Godden), den Wunsch nach einem Kind erfüllt.

Ihren größten Erfolg erlebt Ilse Werner mit Eduard von Borsodys *Wunschkonzert* (1940), in dem sie endgültig das Bild des treuen, deutschen Mädels prägt, das die Entbehrungen des Krieges an der Heimatfront mit Bravour besteht. Die Schallplatten mit ihren Liedern verkaufen sich millionenfach, ihr Bild ziert Soldatenspinde und Bunker.

Als patenter Kumpel erweist sie sich auch in Helmut Käutners *Wir machen Musik* (1942), wo sie selbstbewußt und mit souveräner Opferbereitschaft die Karriere ihres Mannes lanciert.

Unter Käutner entsteht im folgenden Jahr auch *Große Freiheit Nr. 7*. Mit ihr als junge, ›saubere Deern‹ darf Hans Albers eine Zeitlang von einem anderen Leben träumen, ehe sie ihn wegen eines jüngeren verläßt und Hannes Kröger sich wieder seiner alten Braut, der See, widmet.

Nach Kriegsende zunächst mit Auftrittsverbot belegt, hängt Ilse Werner lange der Ruf der ›Durchhaltemieze‹ an.

1948 heiratet sie einen amerikanischen Journalisten und zieht mit ihm nach Kalifornien.

1953 kehrt sie, inzwischen geschieden, zurück und tritt bei Theater und Film auf, ohne an ihre frühere Popularität anknüpfen zu können.

Erfolgreicher ist sie als ›Frau mit Pfiff‹, die ihre alten Melodien vorträgt und eigene Shows moderiert. Auch in Musicals und Fernsehserien gastiert sie.

Ilse Werner lebt heute in der Nähe von Eutin.

Filme mit Ilse Werner:

DAS LEBEN KANN SO SCHÖN SEIN (1938)
FRÄULEIN (1939)
BAL PARÉ (1940)
WUNSCHKONZERT (1940)
IHR ERSTES ERLEBNIS (1941)
WIR MACHEN MUSIK (1942)
MÜNCHHAUSEN (1943)
GROSSE FREIHEIT NR. 7 (1943)

Paula Wessely

Geboren am 20. Januar 1907 in Wien als Tochter eines Metzgers und einer ehemaligen Tänzerin der Wiener Hofoper.

Nach der Schulzeit besucht sie das Reinhardt-Seminar und debütiert 1926 am Stadttheater in einem Drama von Sudermann.

Drei Jahre später wird sie Ensemblemitglied des Theaters in der Josefstadt, wo sie zunächst kleinere Rollen als Kellnerin u. ä. spielt.

Max Reinhardt holt sie 1934 als Gretchen für seine ›Faust‹-Inszenierung nach Berlin.

Im gleichen Jahr verkörpert sie in Willi Forsts *Maskerade* Leopoldine Dur, das charmante Mädel von nebenan als Heldin eines Verwirrspiels um ein Aktmodell.

Der Film macht sie schlagartig berühmt. Als Prinzessin in *So endete eine Liebe* (1934), Bildhauerin in *Episode* (1935) oder ungarische Bäuerin (*Die Julika,* 1936) kann sie ihre Wandlungsfähigkeit unter Beweis stellen, wobei sie ihrer Grundtendenz der natürlichen, aufrichtigen Frau stets treu bleibt.

Wie solche schlichten Frauenfiguren in Krisensituationen über sich hinauswachsen, zeigt Paula Wessely in *Spiegel des Lebens* (1938) oder *Ein Leben lang* (1940), wo sie sich, vom Schicksal geschlagen, alleine um Geburt und Erziehung ihrer Kinder kümmern muß, ehe ein Happy-End sie für bestandene Mühen belohnt.

Zu zweifelhaftem Ruhm in der Rolle der Alltagsheldin bringt sie es als Marie in Gustav Ucickys Propagandafilm *Heimkehr* (1941).

Nach Kriegsende setzte Paula Wessely ihre Karriere vor allem am Wiener Burgtheater fort, dessen Ensemblemitglied sie 1953 wird.

Seit dem Tod ihres Mannes Attila Hörbiger, mit dem sie seit 1935 in zahlreichen Filmen gemeinsam aufgetreten ist, lebt sie zurückgezogen in Grinzing bei Wien.

Filme mit Paula Wessely:

Maskerade (1934)
Episode (1935)
Die Julika (1936)
Spiegel des Lebens (1938)
Ein Leben lang (1940)
Heimkehr (1941)
Späte Liebe (1943)

II.
Die Herren

ALFRED ABEL

Alfred Peter Abel, geboren am 12. März 1879 in Leipzig als Sohn eines Handlungsagenten. Nach Ende der Schulzeit beginnt er eine Forst-, dann eine Gärtnerlehre. Nebenher spielt er gelegentlich Theater. Ein Arbeitsunfall zwingt ihn, die Lehre abzubrechen. Er studiert Zeichnen und nimmt privaten Schauspielunterricht. Erste Auftritte in Provinz- und Wanderbühnen. 1903 wird er ans Königliche Schauspielhaus nach Berlin empfohlen. Von da an wird er – mit Unterbrechungen, die ihn zu Gastspielen u. a. nach New York führen – an verschiedenen Berliner Theatern beschäftigt.

1913 debütiert er unter Max Reinhardt beim Film *(Die venezianische Nacht)*.

Sein Spiel kommt mit sparsamen Mitteln aus – was im Stummfilm ja keinesfalls selbstverständlich ist. Diese Tendenz zum Understatement bestimmt ihn für Aristokraten, Gelehrte und andere Rollen, die Elite signalisieren.

Unter Murnau dreht er 1923 für die Ufa *Die Finanzen des Großherzogs,* zwei Jahre darauf (und nach zehn weiteren Filmen) verkörpert er in Fritz Langs *Metropolis* Joh Fredersen, den kalten, unnahbaren Herrscher der Zukunftsstadt.

Im Tonfilm wird Alfred Abel auf vornehme, distanzierte Herren festgelegt. Er spielt Grafen (*Das schöne Abenteuer,* 1932), Herzöge (*Dolly macht Karriere,* 1930) oder Könige (*Der Kongreß tanzt,* 1931), aber auch die Satire auf einen Provinzbürgermeister (*Die Koffer des Herrn O. F.,* 1931) oder einen gewieften Gauner in dem von ihm selbst inszenierten *Der Streik der Diebe* (1921).

Nach einer Krankheit stirbt Alfred Abel 58jährig am 12. Dezember 1937 in Berlin.

Filme mit Alfred Abel:

DIE FINANZEN DES GROSSHERZOGS (1924)
METROPOLIS (1927)
DER KONGRESS TANZT (1931)
DAS SCHÖNE ABENTEUER (1932)
UND DU MEIN SCHATZ FÄHRST MIT (1936)

Wolf Albach-Retty

Geboren am 28. Mai 1906 in Wien. Der Vater ist k.u.k. Offizier und Anwalt, die Mutter Hofschauspielerin.

Nach dem Abitur besucht Wolf die Wiener Akademie für Musik und darstellende Kunst.

Mit 20 debütiert er am Burgtheater, wird Ensemblemitglied. Ein Jahr später tritt er erstmals in einem Film auf (*Das grobe Hemd,* 1927).

1931 verpflichtet ihn die Ufa nach Berlin, wo er zum jugendlichen Liebhaber mit Wiener Charme aufgebaut wird. Seine Genres sind Komödien, Operetten. Als eleganter Herr mit perfekten Manieren beherrscht er die Klaviatur gesellschaftlicher Konvention – und kann sich deshalb um so freier bewegen.

Seinem Charme erliegen Lilian Harvey (*Zwei Herzen und ein Schlag,* 1931), Renate Müller (*Mädchen zum Heiraten,* 1932) und schließlich Magda Schneider, mit der er in *Kind, ich freu' mich auf dein Kommen* (1933) erstmals gemeinsam vor der Kamera steht. Bis 1938 drehen die beiden sieben weitere Filme, in denen sie sich, neben Willy Fritsch und Lilian Harvey, als das zweite große Traumpaar der dreißiger Jahre etablieren.

Als Wolf Albach-Retty und Magda Schneider 1936 heiraten, scheint das Glück vollkommen. Nach zwei Kindern (Romy, geb. 1938, und Wolf-Dieter, geb. 1940) scheitert die Ehe, u. a. weil Wolf Albach-Retty privat nicht aufhören konnte, das zu sein, was er im Kino erfolgreich verkörperte: Liebling der Frauen, Bonvivant.

Nach dem Krieg ist die Walzerseligkeit seiner Figuren nicht mehr gefragt.

Er tritt in Heimatfilmen und Reminiszenzen ans alte Wien auf und schränkt seine Filmarbeit 1959 mit der Rückkehr ans Burgtheater ein.

Am 21. Februar 1967 stirbt Wolf Albach-Retty in Wien.

Filme mit Wolf Albach-Retty:

Das schöne Abenteuer (1931)
Zwei Herzen und ein Schlag (1932)
Kind, ich freu' mich auf dein Kommen (1933)
... und es leuchtet die Pussta (1933)
Einmal eine grosse Dame sein (1934)
Heimatland (1939)
Tanz mit dem Kaiser (1941)

Hans Albers

Wie kein anderer männlicher Schauspieler steht Hans Albers für die Ufa, deren prominentester, bestdotierter Mitarbeiter er war. In den 15 Jahren zwischen 1917 und 1933 (und mehr als 100 Filmen) hatte er sich in die Herzen der Deutschen hineingespielt, so daß er nach Hitlers Machtergreifung quasi unantastbar geworden war. Seine überragende Popularität immunisierte ihn gegen die Schikanen von Goebbels, der ihn wegen seiner Aufmüpfigkeit nicht leiden konnte. Die Abneigung beruhte auf Gegenseitigkeit: Viele Albers-Anekdoten erzählen von seiner Lust, mit der er Nazigrößen und den Popanz ihrer Selbstdarstellung demaskierte.

Albers war ein Volksschauspieler in dem Sinne, daß er quer durch alle Schichten, mit einer für deutsche Verhältnisse seltenen Einmütigkeit, geachtet und bewundert wurde.

Ein Mannskerl, an dem jedes Detail unverwechselbar war. Sein Blick, seine Stimme und die mächtige Statur, hinter der sich ein empfindsames Gemüt verbarg: all dies verschmolz zum Gesamtkunstwerk Albers, das um seinen Wert wußte – wie die Ufa darum wußte, die bis zuletzt seine tollkühnen Gagenforderungen zu erfüllen bemüht war.

Hans Philipp August Albers wird am 22. September 1891 als Sohn eines Schlachtermeisters in Hamburg-St. Georg geboren.

Dort wächst er auf, bricht die Realschule vorzeitig ab, beginnt eine kaufmännische Lehre und nimmt nebenher Schauspielunterricht. Sein erstes Engagement bekommt er in Bad Schandau, dann wechselt er für eine Saison nach Frankfurt und Görlitz.

Er schließt sich einer Wanderbühne an, wird Mitglied einer Kölner Vaudeville-Truppe, ehe er im Ersten Weltkrieg zweimal verwundet wird und pausieren muß.

Bei Kriegsende ist Albers in Berlin, wo sich das Allround-Talent als Sänger, Schauspieler, Komiker und Artist schnell einen Namen macht.

Ab 1917 steht Albers für Filme mit Titeln wie *Der Mut zur Sünde* (1920), *Der schwere Junge* (1920) oder *Der lachende Ehemann* (1921) vor der Kamera.

Es sind überwiegend Nebenrollen, in denen er als Gauner, Hochstapler und Zuhälter, aber auch als Liebhaber und Charmeur zu sehen ist.

Berühmt wird er in Sternbergs *Der Blaue Engel* (1930), wo er sich als viriler Kraftakt Mazeppa mit Marlene Dietrichs fescher Lola schnell einig wird.

Danach wird er überwiegend in Hauptrollen besetzt: als Abenteu-

rer und Kumpel von Heinz Rühmann (*Bomben auf Monte Carlo,* 1932), als Flieger, der privates Glück seinem Ehrgeiz unterordnet (*F. P. 1 antwortet nicht,* 1932) oder als fröhlicher Draufgänger (*Peer Gynt,* 1934).

Dem Stil der Zeit folgend, gerät der strahlende Sieger zuweilen in die Nähe omnipotenter Führergestalten (*Flüchtlinge,* 1933, *Carl Peters,* 1941).

Sie bleiben aber Ausnahmen. Denn meist besitzen seine Helden etwas Gebrochenes: Sie strotzen nicht bloß vor Kraft, sondern haben verletzliche, melancholische Seiten.

So in *Münchhausen* (1943), der, zum 25. Ufa-Jubiläum produziert, Albers' populärster Film wird; ganz besonders aber in *Große Freiheit Nr. 7,* wo sich sein Traum, bei der jungen Ilse Werner vor Anker zu gehen, nicht erfüllt und er statt dessen zu seiner alten Braut, der See, zurückkehrt.

Nach Kriegsende zieht Hans Albers nach Garatshausen am Starnberger See und spielt auch im deutschen Film der fünfziger Jahre noch eine respektable Rolle (*Nachts auf den Straßen,* 1951, *Der tolle Bomberg,* 1957).

Am 24. Juli 1960 stirbt Hans Albers in München.

Einige Ufa-Filme mit Hans Albers:

DER BLAUE ENGEL (1930)
BOMBEN AUF MONTE CARLO (1931)
F. P. 1 ANTWORTET NICHT (1932)
GOLD (1934)
SAVOY-HOTEL 217 (1936)
MÜNCHHAUSEN (1943)
GROSSE FREIHEIT NR. 7 (1943)

Georg Alexander

Geboren als Georg Luddekens am 3. April 1888 in Hannover.

Nach der Schulzeit spricht der Autodidakt am Stadttheater Halberstadt vor und wird engagiert.

Während des Ersten Weltkriegs zieht er nach Berlin, wo er in Unterhaltungsstücken auftritt und rasch zum Publikumsliebling wird. 1916 kommt er zum Film und etabliert sich in zahlreichen Komödien als eleganter Salonlöwe.

Als häufiger Partner von Renate Müller spielt er in *Wenn die Liebe Mode macht!* (1932) den Chefzeichner eines Pariser Modehauses, in den sich die kleine Näherin verliebt hat; einen despotischen Fabrikdirektor und Ehemann in *Wie sag ich's meinem Mann* (1932), der von seiner Frau der Eskapaden überführt wird; und schließlich in Reinhold Schünzels *Die englische Heirat* (1934) einen britischen Hocharistokraten, der seine Fahrlehrerin heiratet.

Weil er aus seiner Ablehnung gegenüber den Nazis keinen Hehl macht, gehört er nach 1933 nicht mehr zur ersten Riege männlicher Ufa-Stars und tritt bestenfalls in zweiten oder dritten Hauptrollen auf. Seiner Popularität tut dies keinen Abbruch. Kurz nach Kriegsende erkrankt Georg Alexander und stirbt am 30. Oktober 1945 in Berlin.

Ufa-Filme mit Georg Alexander:

WENN DIE LIEBE MODE MACHT! (1932)
WIE SAG ICH'S MEINEM MANN (1932)
LIEBE MUSS VERSTANDEN SEIN (1933)
DIE ENGLISCHE HEIRAT (1934)

WILLY BIRGEL

Wilhelm Maria Birgel wird am 19. September 1891 in Köln geboren. Sein Vater ist Domgoldschmied und Graveur: eine Tradition,
die der einzige Sohn fortführen soll. Deshalb besucht Willy Birgel
nach dem Realschulabschluß die Kunstgewerbeschulen in Köln
und Düsseldorf, folgt dann aber seiner heimlichen Leidenschaft,
dem Theater, und läßt sich mit 19 zum Schauspieler ausbilden.
Er spielt erst kleine Rollen am Stadttheater Bonn, in Koblenz und
Dessau, ehe er 1914 zum Ersten Weltkrieg eingezogen wird.
Nach Kriegsende geht Birgel für fünf Jahre ans Stadttheater
Aachen, danach wird er ans Mannheimer Nationaltheater geholt,
dessen Ensemblemitglied er bis 1936 bleibt.
Er avanciert zum Star des Theaters, spielt die großen Rollen der
Weltliteratur: Faust, Mephisto, Hamlet, Heinrich IV.
Bei einem Berliner Gastspiel des Theaters sehen ihn Ufa-Chef
Ernst Hugo Corell und Paul Wegener, der Birgel in einer Neben-
rolle seines patriotischen Abenteuerfilms *Ein Mann will nach
Deutschland* (1934) besetzt.
Im Alter von 43 Jahren beginnt Birgels Filmkarriere. Er wird von
der Ufa fest unter Vertrag genommen, ist (etwa in *Barcarole* oder
Schwarze Rosen) zunächst noch in Nebenrollen zu sehen, ehe er als
Protagonist in Detlef Siercks *Schlußakkord* (1936) einen Dirigen-
ten spielt, der in Verdacht gerät, seine Frau ermordet zu haben.
Es sind anfangs zwielichtige Figuren, mit denen Birgel bekannt
wird: als Agent einer feindlichen Macht (in Karl Ritters *Verräter,*
1936), als betrügerischer Liebhaber, auf den Zarah Leander in *Zu
neuen Ufern* (1937) hereinfällt, oder als ihr zynischer Gegenspieler
in *Das Herz der Königin* (1940).
Wo immer Birgel – wie in diesem Film – Autoritätspersonen spielt,
zeigt er auch die innere Anspannung, unter der sie stehen. Häufig
ist die äußerliche Förmlichkeit seiner Figuren, die er bis zur schnei-
denden Kälte steigern kann, die Maske eines widersprüchlichen,
letztlich labilen Charakters.
1937 wird Birgel Staatsschauspieler und verkörpert zunehmend
Rollen, die ihn als Grandseigneur zeigen. Den Titel ›Herrenreiter
des deutschen Films‹ bekommt er nach Arthur Maria Rabenalts
... reitet für Deutschland (1941), in dem er einen im Ersten Weltkrieg schwer verwundeten Rittmeister spielt, der kraft seines eisernen Willens den Sieg beim internationalen Turnierreiten er-
ringt.
Ähnlich verbissen kämpft Birgel in Gerhard Lamprechts *Diesel*
(1942) für die Erfindung eines Motors.

Zu seinen schönsten Filmen gehört Hans Deppes Melodram *Der Majoratsherr* (1944), in dem er als vom Schicksal geprüfter Gutsbesitzer in einer als Zweckehe begonnenen Verbindung zuletzt sein Glück findet.

Bei der Wahl seiner Rollen zeigt Birgel keine Berührungsängste gegenüber patriotischen bis nationalistischen Stoffen, wie sein Einsatz in Filmen wie *Verräter* (1936), *Feinde* (1940) oder *Kameraden* (1941) zeigt.

Dies mag die Alliierten nach Kriegsende dazu veranlaßt haben, ein Berufsverbot über ihn zu verhängen.

1947 spielt er dank Erich Pommers Einsatz eine kleine Rolle in *Zwischen gestern und morgen.* Danach ist er regelmäßig in Filmen der fünfziger Jahre zu sehen (u. a. in *Rittmeister Wronski,* 1954, *Ein Herz kehrt heim,* 1956).

Versuche, selbst Regie zu führen (*Rosenmontag,* 1955), bringen nicht den erhofften Erfolg.

Er wendet sich wieder verstärkt dem Theater zu, das ihn bis ins hohe Alter beschäftigt.

Willy Birgel stirbt am 29. September 1973 in Dübendorf bei Zürich.

Filme mit Willy Birgel:

EIN MANN WILL NACH DEUTSCHLAND (1934)
SCHLUSSAKKORD (1936)
ZU NEUEN UFERN (1937)
DER BLAUFUCHS (1937)
GEHEIMZEICHEN LB 17 (1938)
VERKLUNGENE MELODIE (1938)
DER GOUVERNEUR (1939)
REITET FÜR DEUTSCHLAND (1941)
DIESEL (1942)
DER MAJORATSHERR (1944)

HORST CASPAR

Geboren am 20. Januar 1913 in Radegast/Sachsen als Sohn eines Bahnbeamten.

Nach dem frühen Tod seiner Eltern wächst er in Berlin auf, nimmt Schauspielunterricht bei Lucie Höflich, Jürgen Fehling und Otto Falckenberg, über den er an die Münchner Kammerspiele kommt. Dort lernt er seine spätere Frau Antje Weisgerber kennen.

Bis zum Untergang der Ufa dreht er nur zwei Filme, aber die machen ihn zur Legende: Herbert Maischs Tobis-Produktion *Friedrich Schiller* (1940), als ›Triumph eines (deutschen) Genies‹ (so der Untertitel) gedacht, gerät durch Horst Caspars mitreißende Darstellung zum (ungewollten) Fanal gegen den Unterdrückerstaat.

Dazu bei trug ein Drehbuch, dessen durchgehendes Thema Schillers Kampf für Gedankenfreiheit und Menschenwürde ist. Bei den entsprechenden Textpassagen, die Caspar mit glühendem Pathos vorträgt, gab es vielerorts Szenenbeifall.

Beabsichtigt kann dies kaum gewesen sein, und es gibt keine schlüssige Erklärung, warum der Film nicht verboten wurde.

Um ähnliche Umdeutungen wie bei *Friedrich Schiller* auszuschließen, wurde Horst Caspar das nächste Mal in Veit Harlans *Kolberg* besetzt, wo er als Gneisenau mit fanatischer Härte für Disziplin bei den Bewohnern des belagerten Städtchens sorgt. Die ihm in den Mund gelegten Durchhalteparolen stammten z.T. von Goebbels selbst, der am Drehbuch mitgearbeitet hatte – und sich dadurch in typischer Infamie an Caspar für dessen *Friedrich Schiller* gerächt haben mag.

Hierzu paßt, daß Horst Caspar und Antje Weisgerber die deutsche Eheschließung verweigert wurde, weil Caspar seinen Ariernachweis nicht vollständig erbringen konnte.

Nach Kriegsende wurde das Paar (das inzwischen in Wien geheiratet hatte) von Gründgens ans Düsseldorfer Schauspielhaus geholt. Anfang der fünfziger Jahre engagierte sie das Schillertheater in Berlin, wo Horst Caspar, 39jährig, infolge einer rätselhaften Virusgrippe am 27. Dezember 1952 starb.

Filme mit Horst Caspar:

FRIEDRICH SCHILLER (1940)
KOLBERG (1945)

RENÉ DELTGEN

Renatus Heinrich Deltgen wird am 30. April 1909 in Esch (Luxemburg) als Sohn eines Chemikers geboren. Nach dem Abitur besucht er die Schauspielschule Köln, lernt akzentfrei Deutsch und wird mit 20 an die Städtischen Bühnen engagiert. Über Frankfurt/Main gelangt er 1936 an die Berliner Volksbühne, wo er bis 1944 bleibt.

Sein Filmdebüt gibt er 1935 bei der Ufa in Gustav Ucickys propagandistischer Ummünzung des Jeanne-d'Arc-Mythos *Das Mädchen Johanna.*

In Krimis und Abenteuerfilmen spielt er verwegene Draufgänger mit verführerischem Reiz, zu dem sein südländisches Aussehen beiträgt.

Eduard von Borsodys *Kautschuk* (1938) zeigt ihn als englischen Abenteurer am Ende des letzten Jahrhunderts, der unter halsbrecherischen Umständen Kautschuksamen aus Brasilien herauschmuggelt, um das Monopol der Südamerikaner zu brechen.

Er ist aber nicht nur auf solche Rollen festgelegt, sondern überzeugt ebenso als Pelzjäger in nördlichen Breiten (*Nordlicht,* 1938), als Fußballer (*Das große Spiel,* 1942) oder Ludwig van Beethoven (*Wen die Götter lieben,* 1942).

Sensible, künstlerische Menschen spielt er auch in Karl Ritters Ferienkomödie *Sommernächte* (1944) oder Alfred Brauns *Zwischen Nacht und Morgen* (1944), wo er als blinder Bildhauer auftritt.

Nach Kriegsende tingelt René-Deltgen vor alliierten Truppen, greift ab 1946 in bescheidenem Umfang seine Theaterarbeit wieder auf und ist ab 1949 erneut im Kino zu sehen: etwa als innerlich zerrissener Schauspieler in Harald Brauns *Nachtwache.*

Er wirkt in zahlreichen Filmen der fünfziger Jahre mit, wobei sein ruhiger, zuweilen etwas kauziger Charme wenig an die heißblütige Art seiner frühen Arbeiten erinnert. In den sechziger und siebziger Jahren kommen Rollen fürs Fernsehen hinzu (u. a. in *Der Kommissar*).

Am 19. Januar 1979 stirbt René Deltgen in Köln.

Filme mit René Deltgen:

EINER ZUVIEL AN BORD (1935)
KAUTSCHUK (1938)
NORDLICHT (1938)
SOMMERNÄCHTE (1944)
ZWISCHEN NACHT UND MORGEN (1944)

Karl Ludwig Diehl

Geboren am 14. August 1896 in Halle. Der Sohn eines Wirtschaftswissenschaftlers besucht ein humanistisches Gymnasium in Königsberg und in Freiburg. Nach dem Abitur nimmt er Schauspielunterricht, wird aber 1914 als Soldat eingezogen.

Nach Ende des Ersten Weltkrieges besucht er die Schauspielschule des Deutschen Theaters in Berlin und hat daraufhin Engagements in Wiesbaden und München (Kammerspiele). Ab 1929 kehrt er wieder nach Berlin zurück.

In seiner Münchner Zeit steht er zum erstenmal vor der Kamera (*Die Tragödie der Enterbten*, 1924).

Seine eigentliche Leinwandkarriere beginnt mit Einführung des Tonfilms: 1930 tritt er gleich in sieben Produktionen auf.

Seine distinguierte Art macht ihn während der dreißiger Jahre zum Gentleman-Liebhaber des deutschen Kinos. Ob Ärzte, Gutsherren, Diplomaten oder Fabrikbesitzer: es sind stets die besseren Herren, die Karl Ludwig Diehl verkörpert und darin überaus beliebt wird.

Aufrichtige, für ihre Mission kämpfende Patrioten spielt er in *Ein Mann will nach Deutschland* (1934) oder, als Partner von Olga Tschechowa, in *Der Fuchs von Glenarvon* (1940), wobei seine edelmütige Haltung in diesen Tendenzfilmen leicht den Beigeschmack des ›Am deutschen Wesen soll die Welt genesen‹ bekommt.

Seinen größten Erfolg hat er als Baron Instetten in Gustaf Gründgens Fontane-Verfilmung *Der Schritt vom Wege* (1939).

Nach Kriegsende erhält Karl Ludwig Diehl Theaterengagements in Konstanz, Göttingen und München.

Anfang der fünfziger Jahre arbeitet er wieder fürs Kino, ohne seine frühere Popularität wiederzugewinnen.

Am 8. März 1958 stirbt Karl Ludwig Diehl auf seinem oberbayerischen Berghof am Karwendel.

Filme mit Karl Ludwig Diehl:

DIE FREUNDIN EINES GROSSEN MANNES (1934)
EIN MANN WILL NACH DEUTSCHLAND (1934)
DER HÖHERE BEFEHL (1935)
SEINE TOCHTER IST DER PETER (1936)
DER SCHRITT VOM WEGE (1939)
NACHT OHNE ABSCHIED (1943)
DIE HOCHSTAPLERIN (1943)

179

WILLY FRITSCH

Der Sonnyboy der Ufa wird am 27. Januar 1901 in Kattowitz geboren. Sein Vater besitzt eine Maschinenfabrik und möchte, daß der Sohn sie einmal übernimmt.

In Berlin, wohin die Familie übersiedelt, macht Willy nach dem Abitur ein Praktikum bei Siemens und studiert an der Technischen Hochschule mit dem Ziel, Ingenieur zu werden.

Nebenher nimmt er aber Schauspielunterricht und tritt abends im Deutschen Theater als Statist auf. Bald darauf spielt er unter Max Reinhardt erste kleine Rollen.

1923 debütiert er mit *Seine Frau, die Unbekannte* beim Film.

Fritz Lang besetzt ihn 1927 in *Spione,* und, im gleichen Jahr, in einer Hauptrolle seines Zukunftsfilms *Die Frau im Mond.*

Er wird von der Ufa fest unter Vertrag genommen und kann sich noch vor Ende der Stummfilmära erfolgreich als jugendlicher Liebhaber etablieren.

Sein eigentlicher Aufstieg kommt, als die Ufa ihn mit Lilian Harvey zusammenspannt. Bereits 1928 waren beide in *Die keusche Susanne* zum erstenmal vor der Kamera gestanden, mit *Die Drei von der Tankstelle* (1930) beginnt eine Erfolgsserie gemeinsamer Filme, die bis Ende der dreißiger Jahre anhält: *Der Kongreß tanzt* (1931), *Ein blonder Traum* (1932), *Schwarze Rosen* (1935), *Glückskinder* (1936), *Sieben Ohrfeigen* (1937). Jedes Jahr kann das Publikum mit einem neuen Coup der beiden rechnen, wobei von den meisten ihrer Erfolge französische und englische Versionen hergestellt wurden, die im Ausland nicht weniger schlecht liefen.

Willy Fritsch verkörpert den unbekümmerten, optimistischen Helden des Alltags, für den Anfang der dreißiger Jahre, inmitten von Arbeitslosigkeit und Inflation, der Bedarf groß war.

Auch nach der Machtergreifung der Nazis bleibt Fritsch der fröhliche Junge von nebenan, stets zu einem Flirt oder einem flotten Lied bereit. Sein Genre sind Musikkomödien, Operetten: Kinomärchen, in denen kleine Leute ganz groß rauskommen.

Fritsch pflegte auch noch die Leichtfüßigkeit, als in Europa längst die Stiefel marschierten.

Nach Kriegsende pausiert Fritsch zwei Jahre lang. 1947 tritt er im Zirkus Hagenbeck in einer Operette auf, ab 1948 steht er auch wieder vor der Kamera: u. a. für Käutners *Film ohne Titel.* Seinem angestammten Genre bleibt er treu, in den fünfziger Jahren kommen zu den Komödien die Heimatfilme wie *Grün ist die Heide* (1951) oder *Schwarzwaldmelodie* (1956), in denen er, zunehmend abgeklärter, seine Pointen setzt.

So kam ein Gesamtwerk von mehr als 100 Filmen zusammen, für das er 1965, zusammen mit Lilian Harvey, das Filmband in Gold erhielt.
Am 13. Juli 1973 starb Willy Fritsch in Hamburg.

Wichtige Ufa-Filme mit Willy Fritsch:

DIE FRAU IM MOND (1927/28)
DIE DREI VON DER TANKSTELLE (1931)
DER KONGRESS TANZT (1931)
DER FRECHDACHS (1932)
ICH BEI TAG UND DU BEI NACHT (1932)
SAISON IN KAIRO (1933)
WALZERKRIEG (1933)
DIE TÖCHTER IHRER EXZELLENZ (1934)
AMPHITRYON (1935)
BOCCACCIO (1936)
SIEBEN OHRFEIGEN (1937)
FRAU AM STEUER (1939)
FRAUEN SIND DOCH BESSERE DIPLOMATEN (1941)
DER KLEINE GRENZVERKEHR (1943)

183

GUSTAV FRÖHLICH

Neben Hans Albers und Willy Fritsch der populärste männliche Ufa-Star der dreißiger Jahre.

Gustav Friedrich Fröhlich wird am 21. März 1902 in Hannover als Sohn einer Handwerkertochter und eines Ingenieurs unehelich geboren. Er wächst bei Pflegeeltern in Hannover, Würzburg und Berlin auf, wo er das Gymnasium besucht. Nach dem Ersten Weltkrieg, an dem er als Freiwilliger teilnimmt, möchte er Journalist werden und beginnt ein Volontariat in Celle. Nebenher tritt er in einem Kino als Erklärer auf, spielt in Varietés und Wanderbühnen, nimmt Schauspielunterricht in Heilbronn und kommt 1921 nach Berlin, wo er an die Volksbühne am Bülowplatz engagiert wird. Anfang der dreißiger Jahre wechselt er zum Deutschen Theater.

Sein Filmdebüt gibt Fröhlich 1922 als Franz Liszt in *Paganini*. 1926 tritt er als Kleindarsteller in Fritz Langs *Metropolis* auf, wird aber bald nach Drehbeginn für die Hauptrolle des aus Liebe rebellierenden Unternehmersohnes Freder Fredersen umbesetzt. Damit gelingt ihm sein Durchbruch. Trotzdem kommt seine Karriere erst Anfang der dreißiger Jahre richtig in Gang.

In Gustav Ucickys *Der unsterbliche Lump* (1930) spielt er einen Dorfschullehrer, der Glück als Komponist, aber Pech in der Liebe hat und deshalb unerkannt als Landstreicher lebt.

Große Publikumserfolge werden *Rakoczy-Marsch* und *Abenteuer eines jungen Herren in Polen* (beide 1934), bei dem er auch Regie führt. Verführer, Kavaliere und junge Bonvivants sind seine bevorzugten Rollen, doch kommt er ebensogut als sympathischer Freund und Helfer an (*Oberwachtmeister Schwenke*, 1934).

1935 verliebt sich Fröhlich während der Dreharbeiten zu *Barcarole* in seine Filmpartnerin, die 21jährige Lida Baarova. Die beiden beziehen ein Haus auf Schwanenwerder, doch bald steht ein Rivale auf dem Plan: Nachbar und Arbeitgeber Joseph Goebbels spannt Fröhlich die Freundin aus. Als Fröhlich die beiden eines abends in flagranti erwischt, kommt es zu einem Wortwechsel zwischen ihm und dem Minister. Schnell macht in Berlin das Gerücht die Runde, Fröhlich habe Goebbels geohrfeigt. »Ich möchte gern Fröhlich sein«, wird zur Sottise der Saison.

Während des Krieges wird Fröhlich nicht von der Wehrmacht freigestellt, sondern muß zwischen seinen Filmen in einem Landschützenregiment dienen.

1946 lebt Gustav Fröhlich in München, wo er in einem selbstverfaßten Stück (›Die große Pause‹) auftritt. Im Jahr darauf entsteht unter seiner Regie in Bendestorf bei Hamburg eine Reihe von Fil-

men. 1950 spielt er als Partner von Hildegard Knef die Hauptrolle in *Die Sünderin*.

Bis 1953 bleibt er unter Gründgens am Düsseldorfer Schauspiel-haus, wechselt über das Renaissancetheater Berlin ans Schauspiel-haus Zürich.

Ab Ende der fünfziger Jahre arbeitet er nicht mehr fürs Kino und nur noch gelegentlich fürs Fernsehen.

Am 22. Dezember 1987 stirbt Gustav Fröhlich in Lugano.

Filme mit Gustav Fröhlich:

METROPOLIS (1926)
VORUNTERSUCHUNG (1931)
RAKOCZY-MARSCH (1934)
ABENTEUER EINES JUNGEN HERREN IN POLEN (1934)
BARCAROLE (1935)
INCOGNITO (1936)
STADT ANATOL (1936)
FRAU SIXTA (1938)
IHR PRIVATSEKRETÄR (1940)
CLARISSA (1941)

Otto Gebühr

Geboren am 29. Mai 1877 in Kettwig bei Essen als Sohn eines Kaufmanns. Nach dem frühen Tod des Vaters wächst Otto in Köln auf. 1896 zieht er nach Berlin, wo er Schauspielunterricht nimmt.

Er tingelt mit einer Wanderbühne durch die Provinz, erhält sein erstes Engagement am Theater in Görlitz, wechselt 1907 ans Königliche Hoftheater nach Dresden, dessen Ensemblemitglied er zehn Jahre lang bleibt.

Ab 1909 spielt Gebühr an verschiedenen Berliner Theatern, zieht als Freiwilliger in den Ersten Weltkrieg und spielt ab 1917 unter Max Reinhardt am Deutschen Theater.

Im gleichen Jahr beginnt er in *Der Richter* seine Karriere beim Film.

Bereits nach vier Produktionen findet er die Rolle seines Lebens: Für seinen Kostümfilm *Die Tänzerin Barberina* (1920) besetzt ihn Carl Boese als Friedrich II. von Preußen.

Die äußere Ähnlichkeit mit dem historischen Vorbild läßt Otto Gebühr zur Inkarnation des Preußenkönigs werden, wo immer ein Film über dessen Leben entsteht.

Von 1920 bis 1923 spielt er die Titelrolle in dem Vierteiler *Fridericus Rex,* dem weitere Filme des gleichen Genres folgen (*Die Mühle von Sanssouci,* 1926, *Der Alte Fritz,* 1927).

Im Zeichen der ›nationalen Erhebung‹ nimmt das Genre der Preußenfilme Anfang der dreißiger Jahre einen deutlichen Aufschwung. Otto Gebühr dreht *Das Flötenkonzert von Sanssouci* (1930), *Die Tänzerin von Sanssouci* (1932), *Der Choral von Leuthen* (1933), *Fridericus* (1936) und *Der große König* (1942), was dem Schauspieler eine fast kultische Verehrung einbringt.

Nach Kriegsende kehrt Gebühr in Berlin ans Theater zurück, geht auf Gastspielreisen und tritt vor allem in Heimatfilmen als Nebendarsteller auf. Am 13. März 1954, während der Dreharbeiten zu *Rosen-Resli,* stirbt Otto Gebühr an den Folgen eines Herzschlages in Wiesbaden.

Filme mit Otto Gebühr:

FRIDERICUS REX (1920–23)
DER ALTE FRITZ (1927)
DAS FLÖTENKONZERT VON SANSSOUCI (1930)
DER CHORAL VON LEUTHEN (1933)
FRIDERICUS (1936)
DER GROSSE KÖNIG (1942)

Heinrich George

Solitär, mimisches Urgestein, Gigant: die Superlative über Heinrich George passen zu seinem Erscheinungsbild.

Die massige Statur signalisiert Raumverdrängung, absolute Präsenz. Wo immer er auftritt, bekommt er zwangsläufig alle Aufmerksamkeit. Das macht aber weniger allein seine Physis als die fleischgewordene *Emotion* dieses Körpers aus, durch den sich sentimentale Regungen ebenso wie brachiale Gewalt ausdrücken. Der Koloß, dessen dicker Panzer einen zarten Kern umschließt: dies gehörte zum Mythos Heinrich Georges.

Geboren wurde er als Georg August Friedrich Hermann Schulz am 9. Oktober 1892 in Stettin als Sohn eines früheren Deckoffiziers.

Er bricht die Schule vor dem Abitur ab und nimmt Schauspielunterricht. 1912 bekommt er erste Engagements in Kolberg und Bromberg. 1914 meldet er sich als Kriegsfreiwilliger, kehrt aber ein Jahr später schwer verwundet zurück und läßt sich nach Gastspielen in Dresden und Frankfurt am Main 1922 in Berlin nieder.

Um sich vom kommerziellen Bühnenbetrieb unabhängig zu machen, gründet er 1923 zusammen mit Alexander Granach und Elisabeth Bergner das Schauspielertheater. Ab 1925 spielt er drei Jahre lang an Erwin Piscators Volksbühne und beginnt 1927 mit eigenen Inszenierungen.

1921 gibt er sein Debüt als Filmschauspieler und ist bis Ende der zwanziger Jahre in drei Dutzend Produktionen zu sehen, u. a. in Leopold Jessners *Erdgeist* (1923) oder, als Arbeiter, in Fritz Langs *Metropolis* (1927).

Berühmt wird Heinrich George durch die Verkörperung des Franz Biberkopf in Phil Jutzis *Berlin – Alexanderplatz* (1931), eine Rolle, die ihm auf den Leib geschrieben ist.

Nach einem Ausflug in die USA, wo er an zwei MGM-Filmen mitwirkt, spielt er in der Ufa-Produktion *Hitlerjunge Quex* (1933), einem der ersten ›offiziellen‹ Nazifilme, die Rolle eines zum Nationalsozialismus konvertierten Kommunisten.

George, der während der Weimarer Republik selbst mit der Linken sympathisierte, arrangiert sich nun mit den neuen Machthabern und wird in den kommenden Jahren zum führenden Repräsentanten des NS-Films.

Parallel dazu entstehen in dieser Zeit seine reifsten Arbeiten: Ob als hartherziger Vater, der in *Heimat* (1938) seine verstoßene Tochter (Zarah Leander) zuletzt doch wieder in die Arme schließt; als Peter Henlein in *Das unsterbliche Herz* (1939), der über der Erfindung der Taschenuhr seine junge Frau vernachlässigt; als auto-

Heinrich Geo...

ritärer Schinder in *Friedrich Schiller* (1940) oder als besorgter Vater in Gustav Ucickys *Der Postmeister* (1940): immer beweist George seine alles überragende Größe.

1942 wird er Chef einer eigenen Herstellungsgruppe bei der Tobis. Vom Schillertheater, dessen Intendant er seit 1937 ist, führt er dem Film eine Reihe hochkarätiger Nachwuchsschauspieler wie Horst Caspar oder Will Quadflieg zu.

In der Ufa-Produktion *Hochzeit auf Bärenhof* (1942) freut er sich als alternder, geiler Landjunker zu früh auf die Hochzeit mit der jungen Ilse Werner, in *Kolberg* (1945) harrt er trotzig inmitten der rußgeschwärzten Ruinen seiner halbzerstörten Stadt aus.

Nach Kriegsende wird Heinrich George von den Sowjets verhaftet und in Sachsenhausen interniert, wo er am 26. September 1946 stirbt.

Filme mit Heinrich George:

METROPOLIS (1926)
MANOLESCU (1929)
DER ANDERE (1930)
BERLIN – ALEXANDERPLATZ (1931)
DER BIBERPELZ (1937)
HEIMAT (1938)
DAS UNSTERBLICHE HERZ (1939)
DER POSTMEISTER (1940)
JUD SÜSS (1940)
FRIEDRICH SCHILLER (1940)
HOCHZEIT AUF BÄRENHOF (1942)
ANDREAS SCHLÜTER (1942)
KOLBERG (1945)

Rudi Godden

Geboren als Rudi Lißbauer am 18. April 1907 in Berlin als Sohn eines österreichischen Cafétiers.

Nach dem frühen Tod des Vaters wird Rudi von seinem Stiefvater, einem Kinobesitzer, adoptiert. Er besucht Schulen in Berlin, Rostock und Hamburg und nimmt nebenher Gesangsunterricht, weil er Opernsänger werden will.

Zurück in Berlin, beginnt er eine kaufmännische Lehre, bricht sie aber bald darauf ab und arbeitet als Statist in den Kammerspielen und am Deutschen Schauspielhaus.

Ende der zwanziger Jahre gründet er mit drei Freunden das kabarettistische Gesangsquartett ›Blue Boys‹, geht mit ihm auf Tourneen durch Holland und Deutschland und setzt 1935 seine Karriere als Mitglied des Kabaretts ›Die acht Entfesselten‹ fort.

Er macht Radio- und Schallplattenaufnahmen und tritt am Berliner Renaissancetheater auf.

Sein Filmdebüt gibt er 1936 in Hans Heinz Zerletts Artistenfilm *Truxa* als scatsingender, ausgelassener Bühneninspizient. Diese Nebenrolle beschert ihm den Durchbruch.

In seinen folgenden Filmen kommt er als flinker, stets gutgelaunter Entertainer und Herzensbrecher daher.

Daß er auch wandlungsfähig ist, beweist er 1938 in Rolf Hansens Melodram *Das Leben kann so schön sein,* wo er als Ehemann von Ilse Werner einen verzagten, kleinen Versicherungsvertreter spielt, der mit seiner jungen Frau in Konflikt gerät, als sie ein Kind erwartet.

In *Hallo Janine* (1939) springt er Marika Rökk als singender und tanzender Komponist bei und entspricht damit wieder seinem Rollenfach als übermütiger Sonnyboy.

Ein Talent, dessen Laufbahn kurz vor dem Sprung an die Spitze abbricht: Infolge einer Blutvergiftung stirbt Rudi Godden mit nur 33 Jahren am 4. Januar 1941 in Berlin.

Filme mit Rudi Godden:

Truxa (1936)
Einmal werd' ich dir gefallen (1937)
Es leuchten die Sterne (1937)
Das Leben kann so schön sein (1938)
Hallo Janine (1939)
Die lustigen Vagabunden (1940)

Joachim Gottschalk

Geboren am 10. April 1904 in Calau (Niederlausitz) als Sohn eines Landarztes.

Nach dem Abitur 1922 fährt er drei Jahre lang zur See, um sich sein Schauspielstudium in Berlin zu verdienen.

Es folgen Engagements u. a. an Theatern in Stuttgart, Leipzig und Frankfurt am Main.

1931 heiratet er seine Kollegin Meta Wolff. Aus Rücksicht auf ihre jüdische Abstammung lehnt er 1937 das Angebot ab, in Karl Ritters Kriegsfilm *Unternehmen Michael* aufzutreten.

Sein Filmdebüt gibt er ein Jahr später an der Seite Brigitte Horneys in Wolfgang Liebeneiners *Du und ich.* Der Generationenfilm erzählt, beginnend um die Jahrhundertwende, vom mühsamen Aufstieg eines sächsischen Strumpfwirkers zum Fabrikanten.

Gottschalk überzeugt darin durch seine natürliche, ruhige Art, die in Brigitte Horney ein Pendant findet.

Weil er sich durch sein unprätentiöses Spiel vom Gros seiner Kollegen angenehm unterscheidet, wird er nach nur wenigen weiteren Produktionen zu einem der beliebtesten deutschen Filmstars. Mit Brigitte Horney sieht man ihn auch – als integren Liebhaber – in *Eine Frau wie du* (1939). In Hans Schweikarts *Das Mädchen von Fanö* (1940) kämpft er als Fischer umsonst um ihre Liebe, die sich aus Trotz, weil er verheiratet ist, auf seinen Kumpel (Gustav Knuth) gerichtet hat.

Vergeblich bleibt auch sein Werben um Ilse Werner in *Die schwedische Nachtigall* (1941): In der Rolle des sensiblen Märchendichters Hans Christian Andersen muß er sich von der jungen Sängerin Jenny Lind, die er gerne heiraten würde, belehren lassen, daß, wer die Menschheit beglücken will, kein privates Glück haben darf. Es wird Gottschalks letzter Film.

Als seine Frau und sein Junge im Herbst 1941 nach Theresienstadt deportiert werden sollen, nimmt er sich gemeinsam mit ihnen am 7. November 1941 in seiner Berliner Wohnung das Leben.

Filme mit Joachim Gottschalk:

DU UND ICH (1938)
EINE FRAU WIE DU (1939)
EIN LEBEN LANG (1940)
DAS MÄDCHEN VON FANÖ (1940)
DIE SCHWEDISCHE NACHTIGALL (1941)

Gustaf Gründgens

Er steht für die enge Beziehung, wie sie in den dreißiger und vierziger Jahren zwischen Bühne und Film bestand, den er als Spielbein, als Fortsetzung des Theaters mit anderen Mitteln begriff.

Sein Name steht aber auch (seit Klaus Manns ›Mephisto‹) für die Verführbarkeit von Künstlern, die der Faszination des Faschismus und der Macht erlagen.

Geboren wird Gustaf Gründgens am 22. Dezember 1899 in Düsseldorf als Sohn eines Angestellten. Nach dem Abitur meldet er sich 1916 als Kriegsfreiwilliger an die Westfront, wird Mitglied und bald darauf Leiter des Fronttheaters.

Nach Kriegsende nimmt er Schauspielunterricht in Düsseldorf und kommt über Halberstadt und Berlin 1923 an die Kammerspiele nach Hamburg, wo er sich als Schauspieler und Regisseur rasch einen Namen macht.

1927 kehrt er nach Berlin zurück und setzt dort seinen Aufstieg als Schauspieler und Regisseur an den Kammerspielen, später am Staatlichen Schauspielhaus fort, dessen Intendant er 1934 wird.

Beim Film debütiert er 1929 in dem Sittendrama *Ich glaub' nie mehr an eine Frau* als Zuhälter. Für die Ufa arbeitet er erstmals 1930. Neben Willy Fritsch und Lilian Harvey führt er in *Hokuspokus* als Staatsanwalt die Ermittlungen um das mysteriöse Verschwinden eines Malers.

Nach Rollen als Privatdetektiv (*Va Banque,* 1931) und Robespierre (in *Danton,* 1931) erlebt er seinen Triumph als Filmschauspieler in Fritz Langs *M,* wo er als zynischer Gangsterboß die Jagd nach dem Kindermörder organisiert und schließlich, Ganove und quasi Staatsanwalt in einem, das Todesurteil über den Täter verhängt. Ähnlich wie hier verkörpert er auch in *Liebelei* (1932) oder *Die Gräfin von Monte Christo* (1932) am besten Figuren, deren kalter Intellekt sich mit einer Portion Durchtriebenheit mischt.

Er steht, ebenfalls für die Ufa, als französischer König Karl in dem Jeanne-d'Arc-Film *Das Mädchen Johanna* (1935) vor der Kamera und dreht zusammen mit seiner Frau, Marianne Hoppe, die Fliegerkomödie *Capriolen* (1937).

Nachdem er 1937 Generalintendant der Preußischen Staatstheater geworden ist, übernimmt Gründgens im folgenden Jahr bei der Ufa-Tochter Terra die Leitung einer eigenen Herstellungsgruppe, für die seine Fontane-Verfilmung *Der Schritt vom Wege* (1939) entsteht.

In *Friedemann Bach* (1941), dem Drama eines im Schatten seines berühmten Vaters stehenden Künstlers, spielt er, hin und her gerissen zwischen Rebellion und Resignation, die Titelrolle.

Nach Kriegsende kommt Gustaf Gründgens in sowjetische Internierungshaft und muß sich einem Entnazifizierungsverfahren stellen. Nach seinem Freispruch wird er von 1947 bis 1951 Generalintendant der Städtischen Bühnen in Düsseldorf, später Leiter des Düsseldorfer Schauspielhauses.

Die singuläre Verfilmung seiner Hamburger ›Faust‹-Inszenierung von 1960 mit ihm als Mephisto läuft bis heute in Kino-Matineen. Während einer Weltreise stirbt Gustaf Gründgens am 7. Oktober 1963 in Manila.

Filme mit Gustaf Gründgens:

HOKUSPOKUS (1930)
VA BANQUE (1930)
DANTON (1931)
M (1931)
DIE GRÄFIN VON MONTE CHRISTO (1932)
LIEBELEI (1932)
DIE SCHÖNEN TAGE VON ARANJUEZ (1933)
DAS MÄDCHEN JOHANNA (1935)
TANZ AUF DEM VULKAN (1938)
FRIEDEMANN BACH (1941)

Johannes Heesters

Johannes Marius Nicolaas Heesters wird am 5. Dezember 1903 im holländischen Amersfoort als Sohn eines Kaufmanns geboren. Nach der Schulzeit möchte er katholischer Priester werden, beginnt dann eine Banklehre und läßt sich in Amsterdam schließlich zum Sänger und Schauspieler ausbilden.

Dort, sowie in Den Haag, Rotterdam und Brüssel erhält er erste Engagements an Sprechtheatern.

Anfang der dreißiger Jahre wechselt er ins Operettenfach und hat 1934 an der Volksoper Wien seine ersten Erfolge.

Sein Durchbruch kommt, als er im Jahr darauf an der Berliner Komischen Oper gastiert und schlagartig zum Publikumsliebling avanciert.

Daraufhin macht er Probeaufnahmen bei der Ufa, erhält einen Jahresvertrag und wird vor allem in Operettenfilmen eingesetzt: als *Bettelstudent* (1936), in *Das Hofkonzert* oder, als Staatsbeamter, der sich als eleganter Lebemann tarnt, in Georg Jacobys *Gasparone* (1937).

Später kommen auch Musikkomödien im historischen Gewand (*Nanon,* 1938) oder Revuefilme (*Hallo Janine,* 1939) hinzu, denen Heesters seinen Charme verleiht. Seine graziösen Bewegungen und sein näselnder Tonfall werden zu ›Jopies‹ Markenzeichen.

Nach Kriegsende arbeitete Heesters in Wien, gab aber bald wieder Gastspiele an deutschen Operettentheatern, die seine ungebrochene Popularität beweisen.

Weniger Glück hat er mit seinen Nachkriegsfilmen, die nicht an die früheren Erfolge anknüpfen können. Seinem vertrauten Genre treu bleibt er in *Die Czardasfürstin* (1951), in *Liebeskrieg nach Noten* (1953) oder in *Viktor und Viktoria* (1957).

Johannes Heesters lebt heute am Starnberger See.

Filme mit Johannes Heesters:

DER BETTELSTUDENT (1936)
DAS HOFKONZERT (1936)
GASPARONE (1937)
NANON (1938)
HALLO JANINE (1939)
MEINE TANTE – DEINE TANTE (1939)
ILLUSION (1941)

Paul Henckels

Geboren am 9. September 1885 in Hürth bei Köln.

Sein Vater ist Stahlunternehmer, die Mutter Schauspielerin.

Nach der Schulzeit arbeitet Henckels in einer Lokomotivfabrik und im Geschäft seines Vaters. Nebenher nimmt er erst privaten Schauspielunterricht, dann besucht er die Schule des Düsseldorfer Schauspielhauses, wo er in Kotzebues ›Die deutschen Kleinstädte‹ debütiert.

1921 kommt er nach Berlin, wird zum Mitbegründer und künstlerischen Leiter des Schloßparktheaters, wo er in Molières ›Der Geizige‹ debütiert. Ab Mitte der zwanziger Jahre spielt er am Deutschen Theater und wird 1936 Ensemblemitglied der Preußischen Staatstheater unter Gründgens.

1923 ist er zum erstenmal kurz in einem Film zu sehen.

Als Charakterkomiker spielt er, meist in kleinen Rollen, kauzige Kleinbürger, aber auch bösartige Spießer.

Mit Einführung des Tonfilms kann er sein Repertoire erweitern und wird zum gesuchten Nebendarsteller, dessen rheinischer Frohsinn in bis zu zehn Produktionen jährlich für Farbigkeit sorgt. Dabei reicht sein Spektrum vom englischen Lord (*Ein idealer Gatte,* 1935) bis zum Berliner Droschkenkutscher (*Zwei in einer großen Stadt,* 1941).

Unvergessen wird er als Professor Bömmel in *Die Feuerzangenbowle* (1944).

Den Titel ›Spitzweg des deutschen Films‹ trägt er seit Paul Verhoevens *Das kleine Hofkonzert* (1944), der vom Leben des Malers erzählt.

Auch in den fünfziger Jahren war Paul Henckels in zahlreichen Komödien und Heimatfilmen zu sehen.

Anfang der sechziger Jahre zog er sich zurück und starb am 27. Mai 1967 in Kettwig.

Filme mit Paul Henckels:

DER BIBERPELZ (1927)
SCHNEIDER WIBBEL (1930)
DER TRAUM VOM RHEIN (1933)
EIN IDEALER GATTE (1935)
ZWEI IN EINER GROSSEN STADT (1941)
DAS BAD AUF DER TENNE (1943)
DIE FEUERZANGENBOWLE (1944)
DAS KLEINE HOFKONZERT (1944)

Paul Hörbiger

Geboren am 29. April 1894 in Budapest.

Nach kurzer Schauspielausbildung in Wien spielt er auf Bühnen in Reichenberg und Prag, ehe er 1926 zu Max Reinhardt ans Deutsche Theater nach Berlin kommt.

Kurz darauf debütiert er in *Sechs Mädchen suchen Nachtquartier* (1927) beim Film. Im gleichen Jahr besetzt ihn Fritz Lang als Diener und Chauffeur in *Spione* (1927).

Auch in den Komödien oder Operetten der Tonfilmzeit ist er, mal charmant, mal bösartig, als Dienstmann, Lohnkutscher oder Kellner zu sehen.

Aber auch als Hofrat oder Baron, doch stets unverkennbar von Wiener Lebensart, gemütvoll, mit einem ›Moll-Akkord im Blick‹.

In *Walzerkrieg* (1933) kämpft er als Komponist Lanner gegen seinen härtesten Konkurrenten Johann Strauß, um schließlich (pure Fiktion) gemeinsam mit ihm den Radetzky-Marsch zu komponieren. Als weichmütiger, abgeklärter Aristokrat tritt er in *Die Czardasfürstin* (1934) und *Königswalzer* (1934) auf.

Zu seinen besten Rollen gehört der musisch-väterliche Freund an der Seite Zarah Leanders in *Heimat* (1938) und ganz besonders in Rolf Hansens *Die große Liebe* (1942), wo er, leise vor sich hin schmachtend, seine unerfüllte Zuneigung damit sublimiert, schöne Lieder für sie zu schreiben.

Im Januar 1945 wird er in Wien wegen Hochverrats inhaftiert. Nach Kriegsende gastiert er in Zürich, New York, und ab 1949 wieder in Deutschland.

Auch im Film der fünfziger Jahre ist Paul Hörbiger häufig vertreten. In den sechziger und siebziger Jahren kommen Arbeiten fürs Fernsehen hinzu.

Am 5. März 1981 stirbt Paul Hörbiger in Wien.

Ufa-Filme mit Paul Hörbiger:

WALZERKRIEG (1933)
DIE CZARDASFÜRSTIN (1934)
SPIEL MIT DEM FEUER (1934)
KÖNIGSWALZER (1935)
KITTY UND DIE WELTKONFERENZ (1939)
DIE GROSSE LIEBE (1942)

EMIL JANNINGS

Der erste männliche Weltstar des deutschen Kinos, dessen frühe Karriere bis 1930, von der Ufa geprägt, um einiges rühmlicher war als sein Wirken unter Goebbels, wo er sich, ähnlich wie Harlan, zu den Exponenten nationalsozialistischer Filmpolitik machen ließ.

Theodor Friedrich Emil Janenz wurde am 23. Juli 1884 in Rorschach am Schweizer Ufer des Bodensees als Sohn eines deutschamerikanischen Kaufmanns geboren. Er wächst in Leipzig und Görlitz auf, verläßt die Schule vor dem Abitur, um als Schiffsjunge anzuheuern und ab 1901 mit Wanderbühnen und Provinztheatern herumzuziehen.

1914 kommt er nach Berlin, wo er an verschiedenen Theatern auftritt und seine erste Filmrolle in einem Kriegspropagandafilm spielt *(Im Schützengraben)*. Im Jahr darauf wird er von Max Reinhardt ans Theater engagiert.

Seinen filmischen Durchbruch erlebt er 1916 in Ernst Lubitschs *Madame Dubarry* in der Rolle König Ludwigs XV. Er kann es sich in den nächsten Jahren leisten, seine Theaterkarriere zurückzustellen, um nur noch fürs Kino zu arbeiten.

Vom Nero (in *Quo Vadis*, 1923) über Heinrich VIII. (*Anna Boleyn,* 1920) bis zur Titelrolle in *Peter der Große* (1922) verkörpert er in seinen frühen Produktionen gerne dekadente Herrscherpersönlichkeiten.

Vom König der Portiers zum Herrscher über die Herrentoiletten steigt er in Murnaus *Der letzte Mann* (1924) ab, ein Film, der seinen internationalen Ruhm ebenso mehrt wie die beiden weiteren unter Murnau entstandenen Ufa-Projekte *Faust* (1926) und *Tartüff* (1926), in denen er, einmal als Mephisto, einmal als Titelfigur, jeweils Hauptrollen spielt.

Danach ist für ihn der Weg frei nach Hollywood, wohin er 1926 übersiedelt und wo er zwei Jahre später für *The Way of All Flesh* und *The Last Command* den ersten überhaupt vergebenen Oscar erhält.

Angesichts der Einführung des Tonfilms zwingen ihn seine unzureichenden Englischkenntnisse im Frühjahr 1929 nach Deutschland zurück.

Hier entsteht im gleichen Jahr unter Joseph von Sternberg sein berühmtester Film: *Der Blaue Engel* (1929/30). Im Unterschied zu Heinrich Manns Romanvorlage vernachlässigt Sternberg im Film die Titelrolle des vom geachteten Bürger zum lächerlichen Hahnrei verkommenen Professors Unrat zugunsten seiner weiblichen Hauptfigur. Dennoch gelingen Jannings in seinem ersten Tonfilm einmalige Momente.

Mit seinen Anfang der dreißiger Jahre gedrehten Filmen tut er sich zunächst schwer, an seine früheren Erfolge anzuknüpfen.

Erst nach 1933 steigt er wieder zum Star des nationalsozialistischen Kinos auf: als Krupp (in seinem gemeinsam mit Veit Harlan inszenierten Film *Der Herrscher,* 1936), *Robert Koch* (1939), *Ohm Krüger* (1941) oder Bismarck (*Die Entlassung,* 1942) verkörpert er heroische Führerfiguren, die zur Apotheose auf den braunen Staat geraten.

Nach Kriegsende wird Jannings österreichischer Staatsbürger. Krank und depressiv verbringt er zurückgezogen seine letzten Lebensjahre in seinem Haus am Wolfgangsee, wo er am 2. Januar 1950 stirbt.

Filme mit Emil Jannings:

MADAME DUBARRY (1919)
DER LETZTE MANN (1924)
VARIETÉ (1925)
FAUST (1926)
TARTÜFF (1926)
DER BLAUE ENGEL (1930)
LIEBLING DER GÖTTER (1930)
ROBERT KOCH – DER BEKÄMPFER DES TODES (1939)
OHM KRÜGER (1941)

Rudolf Klein-Rogge

Geboren am 24. November 1889 in Köln.

Nach dem Abitur studiert er Kunst- und Literaturgeschichte, nimmt privaten Schauspielunterricht und spielt an Theatern in Halberstadt und Kiel, ehe er 1918 nach Berlin kommt.

Ein Jahr später debütiert er beim Film und heiratet die Autorin Thea von Harbou, die spätere Frau von Fritz Lang.

Der besetzt ihn in seinen Filmen *Der müde Tod* (1921), *Metropolis* (1927) und, als Hauptdarsteller, in *Dr. Mabuse, der Spieler* (1922) sowie *Spione* (1928).

In *Dr. Mabuse* stellt er als Personifizierung des Dämonischen in häufig wechselnder Maske seine enorme Wandlungsfähigkeit unter Beweis.

In *Spione* verkörpert er den verkrüppelten Großbankier und Chef des internationalen Agentenringes Haighi, ein – ähnlich wie Mabuse – von Allmachtsphantasien getriebener Mensch und Verwandlungskünstler.

Mit dem Tonfilm hat Rudolf Klein-Rogge weniger Erfolg. Trotz regelmäßiger Engagements ist er überwiegend in Nebenrollen zu sehen – etwa in Carl Froelichs *Hochzeit auf Bärenhof* (1942).

Rudolf Klein-Rogge starb 1955 in Graz.

Filme mit Rudolf Klein-Rogge:

Der müde Tod (1921)
Dr. Mabuse, der Spieler (1922)
Metropolis (1927)
Spione (1928)

Paul Klinger

Paul Karl Heinrich Klinksik wird am 14. Juni 1907 in Essen als Sohn eines Bauingenieurs geboren. Auf dem Gymnasium gehört Helmut Käutner zu seinen Klassenkameraden. Der ermutigt ihn, gegen den Willen der Eltern, zum Studium der Theaterwissenschaften, das er in München (u. a. bei Arthur Kutscher) beginnt, aber nach sechs Semestern abbricht, um sich zum Schauspieler ausbilden zu lassen. Nach ersten Erfahrungen auf Provinzbühnen wird er 1933 von Heinz Hilpert ans Deutsche Theater Berlin geholt, wo er sich auf jugendliche Helden spezialisiert.

Im gleichen Jahr bekommt er gleichzeitig einen Jahresvertrag bei der Ufa, Terra und Tobis.

Er debütiert als junger, sportlicher Liebhaber in *Du sollst nicht begehren* (1933), ein Rollenfach, das er die dreißiger Jahre hindurch, mal als Rennfahrer (*Zwei Frauen,* 1938), mal als *Kommissar Eyck* (1939/40) beibehält.

In Harlans *Die Goldene Stadt* (1942) wird er für Kristina Söderbaum zum Motor ihrer Fluchtgedanken aus häuslicher Enge, in *Immensee* (1943) ist er der selbstlose, verständnisvolle Ehemann, der weiß, daß sie einen anderen liebt.

1947 spielt er die Hauptrolle in Kurt Maetzigs DEFA-Film *Ehe im Schatten,* der das Schicksal Joachim Gottschalks und seiner Familie aufgreift. Auch in Kästner-Verfilmungen (*Das fliegende Klassenzimmer,* 1954), Melodramen (*Staatsanwältin Corda,* 1954) oder Heimatfilmen (*Die Mädels vom Immenhof,* 1955) bringt sich Paul Klinger mit seinem frischen Temperament ein.

Am 14. November 1971 stirbt Paul Klinger an einem Herzinfarkt.

Filme mit Paul Klinger:

Du sollst nicht begehren (1933)
Gauner im Frack (1937)
Zwei Frauen (1938)
Ich bin gleich wieder da (1939)
Kriminalkommissar Eyck (1939)
Die Goldene Stadt (1942)
Immensee (1943)

Eugen Klöpfer

Eugen Gottlob Klöpfer, geboren am 10. März 1886 in Rauhenstich-Talheim bei Heilbronn als Sohn eines Bauern und Gastwirts. Nach dem Schulbesuch beginnt er auf Wunsch des Vaters eine Lehre als Holzkaufmann in München. Dort nimmt er nebenbei heimlich Schauspielunterricht und sammelt erste Erfahrungen beim Volkstheater und auf Provinzbühnen. Sein bevorzugtes Rollenfach sind Kraftkerle und Angeber.

1918 kommt er nach Berlin, wo er u. a. beim Deutschen Theater spielt und sich auf getriebene, dumpfe Figuren spezialisiert, wie sie häufig in Dramen naturalistischer Autoren auftauchen.

1919 debütiert er in Carl Froelichs *Der Tänzer* beim Film.

Er wird von Reinhold Schünzel (*Maria Magdalene,* 1920), Karl Grune (*Die Straße,* 1923) und Murnau (*Der brennende Acker,* 1922) als tumber Bauer oder Kleinbürger eingesetzt.

Daneben spielt er historische deutsche Heldengestalten wie *Götz von Berlichingen* (1925) oder *Luther* (1927).

Seine Domäne bleibt aber das Theater.

Klöpfer verkörpert häufig engstirnige, bornierte Autoritätspersonen, die, hart gegen sich und andere, ihre Prinzipien leben – so als Kristina Söderbaums sturer (Zieh-)Vater in Harlans *Jugend* (1938) oder *Die Goldene Stadt* (1942).

In ähnlichen Vaterfiguren sieht man ihn in *Wilhelm Tell* (1933), *Friedrich Schiller* (1940) oder *Friedemann Bach* (1941).

Klöpfer spielt auch in der Theater- und Filmpolitik des Dritten Reichs eine Rolle: Er ist Vizepräsident der Reichstheaterkammer, sitzt im Präsidialrat der Reichsfilmkammer und, seit 1935, im Verwaltungsrat der Ufa.

Nach Kriegsende kehrt er ans Theater nach Köln zurück und stirbt am 3. März 1950 in Wiesbaden.

Filme mit Eugen Klöpfer:

Maria Magdalene (1920)
Der brennende Acker (1922)
Die Strasse (1923)
Luther (1927)
Wilhelm Tell (1933)
Jugend (1938)
Friedrich Schiller (1940)
Friedemann Bach (1941)
Die Goldene Stadt (1942)

217

GUSTAV KNUTH

Gustav Adolf Karl Friedrich Knuth, geboren am 7. Juli 1901 in Braunschweig als Sohn eines Eisenbahners.

Nach der Volksschule beginnt er eine Bauschlosserlehre. Nebenher nimmt er Schauspielunterricht.

Nach ersten Engagements bei Provinzbühnen kommt er Mitte der zwanziger Jahre nach Hamburg, wo er bis 1937 am Deutschen Schauspielhaus auftritt. Danach holt ihn Gründgens nach Berlin ans Preußische Staatstheater, dessen Ensemblemitglied er bis 1944 bleibt.

Knuths Filmkarriere beginnt 1935 mit einer Rolle als Dorfschmied in Hans Steinhofs *Der Ammenkönig.*

In den darauffolgenden Produktionen verkörpert er – im Gegensatz zu seinen späten, komödiantischen Rollen – schüchterne, etwas ungelenke junge Proletarier, die ganz und gar nicht ins offiziell verbreitete Bild vom kernig-zupackenden deutschen Mann passen. In *Schatten über St. Pauli* (1938) spielt er einen Barkassenführer, in der wegen ihrer dokumentarischen Aufnahmen interessanten Ufa-Produktion *Mann für Mann* (1939) einen Arbeiter beim Bau der Reichsautobahn.

Auch Frerk, der Inselfischer, mit dem *Das Mädchen von Fanö* (1940) schließlich vorliebnimmt, ist ein rauher und verschlossener Typ.

Als scheuer Matrose in *Große Freiheit* (1943), vor allem in der Rolle des lakonischen Havelschiffers Willi in Käutners *Unter den Brücken* (1945) ist er in seinem vertrauten Milieu. Richtig populär wird Gustav Knuth erst in den fünfziger Jahren.

Als leutseliger Protagonist des Wirtschaftswunders spielt er häufig Direktoren und Unternehmer, aber auch kauzige Gestalten wie den Herzog Max von Bayern in Ernst Marischkas *Sissi*-Trilogie. Ab Mitte der sechziger Jahre dreht Gustav Knuth vor allem fürs Fernsehen, aber auch etwa in Paukerkomödien wie *Die Lümmel von der ersten Bank* (1968).

Gustav Knuth stirbt am 1. Februar 1987 in Neu-Münster bei Zürich.

Ufa-Filme mit Gustav Knuth:

MANN FÜR MANN (1939)
ZWISCHEN HAMBURG UND HAITI (1940)
UNTER DEN BRÜCKEN (1945)

Viktor de Kowa

Geboren als Viktor Paul Karl Kowalczyk am 8. März 1904 in Hochkirch bei Görlitz. Der Bauernsohn wächst in Dresden auf, wo er zur Schule geht.

Auf Wunsch der Eltern soll er Pastor werden. Statt dessen besucht er eine Kadettenanstalt und beginnt 1918 mit einer Ausbildung zum Plakat- und Modezeichner, ehe er diese Laufbahn abbricht und Schauspielunterricht bei Erich Ponto nimmt.

Er debütiert an einer Provinzbühne, spielt kleine Rollen an den Theatern von Dresden, Lübeck, Frankfurt und Hamburg, ehe er 1928 an die Berliner Volksbühne kommt. Ein Jahr später holt ihn Max Reinhardt ans Deutsche Theater.

1929 ist er in der Zuckmayer-Verfilmung *Katharina Knie* zum erstenmal im Film zu sehen. Nach einigen Nebenrollen schafft er in *Kleiner Mann – was nun?* seinen Durchbruch.

Für die Ufa dreht er 1934 unter Gustav Ucicky *Der junge Baron Neuhaus:* eine Kostümkomödie ums Kammerfensterln im Wien Maria Theresias, in der Viktor de Kowa als junger Liebhaber glänzt.

Dieser Rolle bleibt er in Filmen wie Herbert Selpins *Spiel an Bord* (1936), Wolfgang Liebeneiners *Versprich mir nichts!* (1937) oder *Kleiner Mann, ganz groß* (1938) treu.

Schnoddrig-charmant ist er auch als Partner von Ilse Werner in Helmut Käutners Versuch einer deutschen Screwball-Comedy, *Wir machen Musik* (1942), wo er als junger, eingebildeter Komponist mit dem lockeren Musikverständnis seiner Frau aneinandergerät. Nach Kriegsende gastiert er an zahlreichen deutschsprachigen Bühnen und setzt auch seine Filmarbeit fort, u. a. mit Rollen in Käutners *Des Teufels General* (1954) oder *Es muß nicht immer Kaviar sein* (1961).

Am 8. April 1971 stirbt Viktor de Kowa in Berlin an Krebs.

Filme mit Viktor de Kowa:

Kleiner Mann – was nun? (1933)
Wenn ich König wär! (1933)
Der junge Baron Neuhaus (1934)
Lockvogel (1934)
Spiel an Bord (1936)
Kleiner Mann – ganz gross (1938)
Wir machen Musik (1942)

WERNER KRAUSS

Geboren am 23. Juni 1884 in Gestungshausen bei Coburg als Sohn eines Postbeamten. Er wächst in Breslau auf und besucht im Anschluß an die Schule ein evangelisches Lehrerseminar.

Ohne Ausbildung kommt er über Wander- und Provinzbühnen 1913 nach Berlin, wo er unter Max Reinhardt kleinere Rollen spielt.

1916 gibt er in *Hoffmanns Erzählungen* sein Kinodebüt.

Seine Genres sind Krimis, Sitten- und Aufklärungsfilme, in denen er meist fiese, zur Grimasse verzerrte Typen verkörpert: Sadisten, Drogenhändler, Krüppel.

Seinen Durchbruch erlebt er nach dem Ersten Weltkrieg in der Titelrolle von Norbert Wienes *Das Kabinett des Dr. Caligari* als dämonischer Irrenarzt und Schausteller in einem.

Auch Filmen wie *Die freudlose Gasse* (1925), *Der Student von Prag* (1926) oder der Ufa-Produktion *Geheimnisse einer Seele* (1926) verleiht er durch sein eindringliches Spiel eine Wirkung zwischen Faszination und Grauen.

Nach mehr als 100 Stummfilmen gelingt ihm Anfang der dreißiger Jahre die Umstellung auf das neue Medium.

In *Yorck* (1931) beschwört er das alte Preußen und die Heilserwartung hinsichtlich des kommenden Führerstaats; *Robert Koch, der Bekämpfer des Todes* (1939) zeigt ihn als Gegenspieler Kochs in dogmatischer wissenschaftlicher Arroganz.

Für *Jud Süß* schließlich verwandelt er sich in fünf verschiedene jüdische Typen, um nazistische Rassenideologie zu illustrieren. Das macht ihn bis zu seinem Lebensende an vielen deutschen Bühnen zur Unperson und erregt z. T. heftigen Widerstand gegen offizielle Ehrungen für ihn (Bundesverdienstkreuz in Gold, 1954).

Die letzten Lebensjahre spielt Werner Krauß am Burgtheater in Wien, wo er am 20. Oktober 1959 stirbt.

Filme mit Werner Krauß:

DAS KABINETT DES DR. CALIGARI (1919)
DIE FREUDLOSE GASSE (1925)
GEHEIMNISSE EINER SEELE (1925)
DER STUDENT VON PRAG (1926)
YORCK (1931)
BURGTHEATER (1936)
JUD SÜSS (1940)
PARACELSUS (1943)

Harry Liedtke

Geboren am 12. Oktober 1882 in Königsberg als Sohn eines Kaufmanns. Nach dem Tod der Eltern kommt er mit 14 in ein Waisenhaus, beginnt nach dem Gymnasium eine Handelslehre und arbeitet in einem Kolonialwarengeschäft.

Nebenher nimmt er Schauspielunterricht und bekommt erste Engagements auf Provinzbühnen und am Berliner Kleinen Theater, ehe er, nach kurzem New-York-Aufenthalt, im Frühjahr 1909 einen Fünfjahresvertrag am Deutschen Theater in Berlin abschließt. 1912 beginnt er zu filmen, wobei sein Rollenfach schnell gefunden ist: In Komödien, Melodramen und Krimis spielt er jugendliche Charmeure, elegante Kavaliere, schalkhafte Bonvivants.

Seine bevorzugten Regisseure sind Georg Jacoby und Lubitsch, unter dem er etwa *Das fidele Gefängnis* (1918), *Die Augen der Mumie Ma* (1918) oder *Die Austernprinzessin* (1919) dreht.

In fast 150 Stummfilmen tritt er auf und ist damit einer der meistbeschäftigten und populärsten Helden des frühen Kintopp. Nach 1930 verblaßt sein Ruhm, findet er erst mal als Nebendarsteller Verwendung, ehe er sich 1941 in *Sophienlund* als graumelierter Herr mit Vergangenheit zurückmeldet.

Am 28. April 1945 stirbt Harry Liedtke bei der Besetzung seines Wohnorts Saarow-Pieskow durch die Rote Armee.

Ufa-Filme mit Harry Liedtke:

DAS FIDELE GEFÄNGNIS (1917)
DIE AUGEN DER MUMIE MA (1918)
CARMEN (1918)
DER RODELKAVALIER (1918)
DIE AUSTERNPRINZESSIN (1919)
MADAME DUBARRY (1919)
SUMURUM (1920)
DAS WEIB DES PHARAO (1920)
SOPHIENLUND (1943)

THEO LINGEN

Franz Theodor Schmitz, geboren am 10. Juni 1903 in Hannover. Der Anwaltssohn debütiert nach dem Besuch des Gymnasiums an einem Boulevardtheater seiner Heimatstadt, gastiert darauf in Münster, Halberstadt und Frankfurt/Main, ehe ihn Erich Engel 1929 ans Berliner Schiffbauerdammtheater holt, wo er den Macheath in Brechts ›Dreigroschenoper‹ spielt. Anfang der dreißiger Jahre wird er Mitglied des Berliner Komödienhauses, ehe ihn Gründgens 1936 engagiert.

Er debütiert in dem Ufa-Lustspiel *Dolly macht Karriere* (1930) mit einer Tanzeinlage als Conny Coon.

In Fritz Langs *M* (1931) lockert er die Ganovenrunde durch seine Gags auf.

In den zahllosen (Musik-)Komödien, die Anfang der dreißiger Jahre entstehen, ist Lingen mit seinen skurrilen Auftritten zunächst ein vielbelachter Nebendarsteller.

In Ufa-Produktionen wie *Meine Frau, die Hochstaplerin* (1931), *Ronny* (1931) oder *Ein toller Einfall* (1932) etabliert er sich als begnadeter Komiker.

Begleitet durch seine markante Physiognomie und die näselnde Stimme, parodiert er mit seiner überpeniblen, flinken Art preußische Disziplin.

Später führt er in seiner *Eulenspiegel*-(Kurz-)Filmserie selbst Regie und setzt Anfang der vierziger Jahre die Reihe selbstinszenierter Komödien mit Titeln wie *Was wird hier gespielt?* (1939), *Herz modern möbliert* (1940) oder *Johann* (1942) – in seiner Paraderolle als Kammerdiener – fort.

Zu regelmäßigen Höhepunkten geraten die gemeinsamen Auftritte mit Hans Moser in zwei Dutzend Produktionen.

Im deutschen Nachkriegsfilm spielt Theo Lingen in Remakes seiner alten Titel, Heimatfilmen und zuletzt in Paukerklamotten, wie sie während der sechziger Jahre entstehen.

Am 10. November 1978 stirbt Theo Lingen in Wien.

Ufa-Filme mit Theo Lingen:

DOLLY MACHT KARRIERE (1930)
NIE WIEDER LIEBE (1931)
MEINE FRAU, DIE HOCHSTAPLERIN (1931)
DIE GRÄFIN VON MONTE CHRISTO (1932)
EIN TOLLER EINFALL (1932)
WALZERKRIEG (1933)

FERDINAND MARIAN

Geboren wurde Marian als Ferdinand Haschkowetz am 14. August 1902 in Wien. Die Eltern sind Musiker. Das nach der Schulzeit begonnene Ingenieurstudium bricht er ab, schlägt sich eine Weile mit Gelegenheitsjobs durch und gerät durch Vermittlung des Vaters 1924 als Charge ans Grazer Stadttheater. Über Trier, Mönchengladbach, Aachen, Hamburg (Thalia-Theater) und München (Kammerspiele) kommt er 1938 ans Deutsche Theater Berlin. Seit 1933 tritt er, mal als Saboteur (*Der Tunnel*, 1933), mal als Prinz (*Die Stimme des Herzens*, 1936) im Film auf. Seinen Durchbruch schafft er 1937 in Gerhard Lamprechts *Madame Bovary* als berechnender Frauenheld Roudolphe, der die Bovary sitzenläßt. Von da an verkörpert er Schurken: mal elegant (etwa in *La Habanera* als südländischer, sadistischer Ehe-Macho Zarah Leanders), mal perfide (in *Der Fuchs von Glenarvon*, 1940, oder, makabrer Höhepunkt seiner Karriere, als lüsterner *Jud Süß*, 1940).

Zu seinem Rollenfach gehören aber auch Außenseiter, die rehabilitiert werden, nachdem falscher Verdacht auf sie fiel (etwa in *Nordlicht*, 1938).

Einen seiner stärksten Auftritte hat er in Hans H. Zerletts *Reise in die Vergangenheit* (1943), wo er als invalider, verarmter Herrenreiter gemeinsam mit Olga Tschechowa glanzvollen Zeiten nachtrauert, ehe er sich umbringt.

Diesen Tod wählte wahrscheinlich auch Ferdinand Marian, als er, wegen seiner Beteiligung an *Jud Süß* mit Berufsverbot belegt, am 7. August 1946 in der Nähe von Freising mit seinem Auto gegen einen Baum fuhr.

Filme mit Ferdinand Marian:

MADAME BOVARY (1937)
LA HABANERA (1937)
NORDLICHT (1938)
MORGEN WERDE ICH VERHAFTET (1939)
JUD SÜSS (1940)
ROMANZE IN MOLL (1942)
MÜNCHHAUSEN (1943)
REISE IN DIE VERGANGENHEIT (1943)
TONELLI (1943)

ALBERT MATTERSTOCK

Geboren am 13. September 1911 in Leipzig.

Gegen den Willen der Eltern besucht er die Schauspielschule von Max Reinhardt in Berlin.

Mitte der dreißiger Jahre spielt er in Leipzig und Hamburg Theater und debütiert 1937 mit einer Haupt- und Doppelrolle in *Land der Liebe:* Reinhold Schünzels letzter Fim vor der Emigration ist, als Musikkomödie über die Zustände in einem Phantasiestaat getarnt, eine Satire auf das ›neue‹ Deutschland unter brauner Führung. Der Film wird erst nach mehreren Schnittauflagen freigegeben, Matterstocks Leistung als König, der einen dichtenden Doppelgänger hat, kommt das nicht an.

In *Manege* und *Serenade* (als Partner von Hilde Krahl), die beide im gleichen Jahr entstanden, konnte Matterstock seine Blitzkarriere ausbauen. Ebenfalls mit Hilde Krahl ist er in Karl Hartls Ufa-Komödie *Gastspiel im Paradies* (1938) zu sehen, in der er, als Graf und Kellner erneut doppelt besetzt, ein marodes Berghotel in Schwung bringt.

Heinz Rühmann besetzt Matterstock für seine erste Regiearbeit, *Lauter Lügen* (1938), als abtrünnigen Ehemann, der von seiner Frau (Herta Feiler) zurückerobert wird.

Mit seiner schmächtigen Figur und der Schalkhaftigkeit ähnelt er Rühmann ein wenig.

Obwohl er seine größten Erfolge mit Komödien hat (*Unser Fräulein Doktor,* 1940, *Das himmelblaue Abendkleid,* 1941, *Kollege kommt gleich,* 1943), beweist er in Filmen wie *Die goldene Maske* oder *Ein ganzer Kerl* (beide 1939), daß er keineswegs aufs Humoristische beschränkt ist.

1943 erkrankt Albert Matterstock und bekommt Morphium verabreicht. Er wird abhängig, seine Karriere ist gefährdet.

Nach Kriegsende dreht er nur noch vier Filme und stirbt am 29. Juni 1960 in Hamburg.

Filme mit Albert Matterstock:

LAND DER LIEBE (1937)
SERENADE (1937)
GASTSPIEL IM PARADIES (1938)
LAUTER LÜGEN (1938)
EIN GANZER KERL (1939)
DAS HIMMELBLAUE ABENDKLEID (1941)
KOLLEGE KOMMT GLEICH (1943)

HANS MOSER

Geboren als Johann ›Jean‹ Julier am 6. August 1880 in Wien.
Der Sohn eines Bildhauers arbeitet nach der Handelsschule in einem Wiener Lederwarengeschäft, dann schreibt er sich an einer Theaterschule ein und nimmt Schauspielunterricht bei Josef Moser, dessen Namen er annimmt.

Mit 17 Jahren bekommt er erste kleine Rollen bei Provinztheatern, wird 1903 ans Theater in der Josefstadt engagiert.

Seit 1922 agiert er, zunächst erfolglos in Film-Nebenrollen, als Diener, Lohnkutscher und Zahlkellner.

Erst als nach Einführung des Tonfilms Mosers berühmtes Stottern und Nuscheln vernehmbar wird, kommt sein Wiener Schmäh voll zur Geltung und bereitet ihm den Durchbruch.

In *Liebling der Götter* (1930), Mosers erster Ufa-Produktion, steht er als Faktotum Kratochvil unerschütterlich neben seinem Dienstherren Emil Jannings, der, ein gefeierter Kammersänger, den Verlockungen seiner weiblichen Fans nicht widerstehen kann. Untergebene, die die Demütigung des Dienens durch ungeniertes Maulen kompensieren und dadurch ihre Würde behaupten, finden in Hans Moser ihren Darsteller, wobei sich seine verwurstelte Art deutlich von aufgeräumteren, nördlichen Kollegen wie Theo Lingen oder Rühmann absetzt.

Bei Kriegsende lebt er in der Nähe von Wien, wohin er 1947 wieder ans Theater zurückkehrt. Auch in den Komödien der fünfziger Jahre (darunter in vielen Remakes seiner alten Filme) hat Moser einen festen Platz, wobei im Alter die Bärbeißigkeit seiner früheren Figuren einer resignativen Milde weicht.

Am 19. Juni 1964 stirbt Hans Moser in Wien.

Filme mit Hans Moser:

LIEBLING DER GÖTTER (1930)
DIE TÖCHTER IHRER EXZELLENZ (1934)
FAMILIE SCHIMEK (1935)
MEIN SOHN, DER HERR MINISTER (1937)
DAS EKEL (1939)
ANTON DER LETZTE (1939)
SIEBEN JAHRE PECH (1940)
SCHWARZ AUF WEISS (1943)

RUDOLF PRACK

Rudolf Anton Prack, geboren am 2. August 1905 in Wien als Sohn eines Postbeamten.

Er debütiert am Theater in der Josefstadt unter Hans Thimig und bekommt 1937 seine erste Filmrolle in Carl Lamacs Komödie *Florentine.*

1939 wird er von der Ufa-Tochter Wien-Film unter Vertrag genommen und erlebt seinen ersten größeren Erfolg in Gustav Ucickys *Mutterliebe* als Käthe Dorschs Musterknabe, der seiner in der Wäscherei arbeitenden Mutter hilft, wo er nur kann.

In Harlans *Die Goldene Stadt* (1942) ist ihm als Großknecht die Tochter des Hauses versprochen. Doch Kristina Söderbaum flüchtet (wegen ihres strengen Vaters) nach Prag.

Karl Anton gibt ihm darauf in seinem Artistenfilm *Die große Nummer* (1942) die Hauptrolle eines Dompteurs, der mit dem Zirkusdirektor aneinandergerät, dessen Tochter er liebt.

Einen Vater-Sohn-Konflikt trägt er auch in dem Krimi *Die unheimliche Wandlung des Alex Roscher* (1943) aus, in dem er einen gefährdeten, jungen Grenzer im Kampf gegen Schmuggler spielt.

Als Bursch vom Land, der sein Dorf verläßt, um mit Hilfe einer gestohlenen Geige und an der Seite einer alternden Sängerin (Olga Tschechowa) die Konzertsäle der Welt zu erobern, sieht man ihn in Günter Rittaus *Der ewige Klang* (1943).

Die deutschen Kinosäle eroberte sich Rudolf Prack an der Seite von Sonja Ziemann erst in den fünfziger Jahren.

Die Basis dafür schuf er sich in den Filmen, die mit ihm vor Kriegsende entstanden und ihn noch nicht auf Förster, Frauenärzte oder Kronprinzen festlegten.

Rudolf Prack arbeitet auch die sechziger und siebziger Jahre hindurch, nach dem Ende seiner großen Popularität, für Film und Fernsehen (u. a. in *Heidi,* 1965, oder in der TV-Serie *Ringstraßenpalais,* 1980).

Er stirbt am 3. Dezember 1981 in Wien.

Filme mit Rudolf Prack:

MUTTERLIEBE (1939)
DIE GOLDENE STADT (1942)
DIE GROSSE NUMMER (1942)
DIE UNHEIMLICHE WANDLUNG DES ALEX ROSCHER (1943)
DER EWIGE KLANG (1943)
AUFRUHR DER HERZEN (1944)

WILL QUADFLIEG

Geboren in Oberhausen am 15. September 1914 als Sohn eines Inspektors.

Als Gymnasiast nimmt er privaten Schauspielunterricht, den er nach dem Abitur fortsetzt. 1933 debütiert er am Oberhausener Stadttheater, danach gelangt er über Gießen, Gera und Düsseldorf nach Berlin an die Volksbühne, wo er von 1937 bis 1940 auftritt.

Danach wechselt er ans Schillertheater zu Heinrich George, der Quadfliegs eigentlicher Lehrmeister wird.

Sein Filmdebüt gibt er 1938 in Erich Engels Kleinstadtposse *Der Maulkorb* (nach Heinrich Spoerl). 1940 folgen *Das Herz der Königin* und, als Partner von Marika Rökk, *Kora Terry,* wo er einen jungen Konzertmeister spielt.

Wie hier verkörpert er auch in den darauffolgenden Filmen häufig musische junge Männer, sei es als Geiger (*Die Zaubergeige,* 1944), als Komponist (*Solistin Anna Alt,* 1944) oder als Schauspieler (*Der große Schatten,* 1942).

Quadfliegs bildungsbürgerliche Aura, die gut in die Künstlerbiographien des Dritten Reiches paßte, fand im Unterhaltungskino der fünfziger Jahre keinen Platz. So konzentriert er sich nach Kriegsende aufs Theater und gastiert nur gelegentlich und ohne besondere Bedeutung in Filmen wie *Die Försterchristel* (1952) oder *Lola Montez* (1955).

Eine Ausnahme: Gründgens' Verfilmung seiner Hamburger *Faust*-Inszenierung (1960), in der Quadflieg die Titelrolle spielt.

Will Quadflieg lebt heute in der Nähe von Bremen.

Filme mit Will Quadflieg:

DER MAULKORB (1938)
KORA TERRY (1940)
DER GROSSE SCHATTEN (1942)
DIE ZAUBERGEIGE (1944)
SOLISTIN ANNA ALT (1944)

CARL RADDATZ

Am 13. März 1912 in Mannheim als Sohn eines Bankbeamten geboren. Er besucht die Oberrealschule und möchte zunächst Buchhändler werden. Ende der zwanziger Jahre entdeckt er seine Liebe zum Theater und spricht eines Tages Willy Birgel, den damaligen Star des Mannheimer Theaters, auf der Straße an. Birgel gibt ihm ein Jahr lang Schauspielunterricht und vermittelt ihn ans Mannheimer Nationaltheater, wo er 1931 sein Debüt gibt.

Über Bühnen in Aachen, Darmstadt und Bremen gelangt Raddatz 1937 nach Berlin, wo er bei der Ufa seine erste Filmrolle als intellektueller Soldat in *Urlaub auf Ehrenwort* bekommt. Die nicht nur äußere Ähnlichkeit zwischen Raddatz und seinem Ziehvater Willy Birgel wird in Victor Tourjanskys Melodram *Verklungene Melodie* (1938) eingesetzt, wo Raddatz als Birgels jüngerer Bruder auftritt, der sich um dessen Geliebte (Brigitte Horney) kümmern soll. Obwohl Raddatz in sogenannten Tendenzfilmen wie *Stukas* (1941) oder *Der fünfte Juni* (1942) als Offizier eingesetzt wird, entwickelt er sich zum Star klassischer deutscher Melodramen, für die ihn seine noble Gelassenheit und sein gepflegter Charme empfehlen. Als Mann mit Stil verkörpert er Gutsherren (*Befreite Hände,* 1939), ihrer Arbeit verpflichtete Künstler (*Immensee,* 1943) oder hanseatischen Kaufmannsadel (*Opfergang,* 1944).

Die Filme Harlans, besonders aber Helmut Käutners kurz vor Kriegsende in Berlin entstandenes Melodram *Unter den Brücken* (1944) zeigen Raddatz auf dem Höhepunkt seines Könnens.

Auch im deutschen Nachkriegsfilm konnte er sich – inzwischen als soignierter älterer Herr – ohne größere Zugeständnisse behaupten, so in Käutners *In jenen Tagen* (1947), *Made in Germany* (1957) oder in *Das Mädchen Rosemarie* (1958).

Anfang der sechziger Jahre zog sich Carl Raddatz vom Film zurück. Er lebt heute in Berlin.

Filme mit Carl Raddatz:

VERKLUNGENE MELODIE (1937)
WUNSCHKONZERT (1940)
BEFREITE HÄNDE (1939)
IMMENSEE (1943)
OPFERGANG (1944)
UNTER DEN BRÜCKEN (1945)

239

Fritz Rasp

Geboren am 13. Mai 1891 in Bayreuth.

Nach Lehrjahren an Sommer- und Provinzbühnen wird er 1914 von Max Reinhardt nach Berlin ans Deutsche Theater engagiert. Über seine Kollegen vom Reinhardt-Ensemble bekommt er 1915 einen (ersten) Auftritt in Lubitschs *Schuhpalast Pinkus.*

Infolge seiner hochgewachsenen, grazilen Figur und der ausgefallenen Physiognomie wird er bald auf den Typ des abgefeimten Schurken festgelegt. Fritz Lang besetzt ihn in Rollen mit negativen Eigenschaften: als düsteren Sekretär in *Metropolis* (1926) oder als goldgierigen Mondfahrer in *Die Frau im Mond* (1927). Er verführt junge Mädchen (*Tagebuch einer Verlorenen,* 1929), begeht feigen Verrat (*Schinderhannes,* 1928) und betätigt sich als Spitzel und Ganove (*Die Liebe der Jeanne Ney,* 1927).

Er ist der spindeldürre Bösewicht des expressionistischen Kintopp. Mit der Hauptrolle in einem seiner ersten Tonfilme wird er berühmt: *Emil und die Detektive* (1931) jagen den als Taschendieb und zuletzt als Bankräuber enttarnten Herrn Grundeis-Müller-Kiesling durch Berlin. Auch in Krimis und Abenteuerfilmen steht er meist auf seiten des Bösen. In den glatten Unterhaltungsfilmen des Dritten Reiches hatte man für seine skurrile Erscheinung keine rechte Verwendung. So beschränken sich seine Engagements zunehmend auf Nebenrollen (etwa in *Es war eine rauschende Ballnacht,* 1939, oder *Paracelsus,* 1943), und er spielt verstärkt Theater: Seit 1936 ist er Mitglied der Berliner Volksbühne, nach Kriegsende spielt er am Hebbeltheater und am Deutschen Theater.

1951 wechselt er ans Münchner Residenztheater und tritt ab Mitte der fünfziger Jahre vorwiegend in Fernsehfilmen auf.

1974 feiert er als Partner von Lina Carstens in *Lina Brake* sein spätes, verdientes Kino-Comeback.

Am 30. November 1976 stirbt Fritz Rasp in Gräfelfing bei München.

Filme mit Fritz Rasp:

Metropolis (1926)
Die Liebe der Jeanne Ney (1927)
Spione (1928)
Die Frau im Mond (1929)
Tagebuch einer Verlorenen (1929)
Emil und die Detektive (1931)
Paracelsus (1943)

Paul Richter

Geboren in Wien am 16. Januar 1895 als Sohn eines Kaufmanns.
Nach der Realschule beginnt er eine Schauspielausbildung in
Arnau. Sein Bühnendebüt gibt er am Stadttheater Troppau. Es folgen Engagements in Mannheim und Wien.
1920 kommt er mit dem Krimi *Mord ohne Täter* zum Film.
Fritz Lang besetzt ihn darauf als Edgar Hull, Sohn eines reichen
Bankiers, in *Dr. Mabuse, der Spieler* (1922) als Mabuses Opfer.
Zwei Jahre später spielt er den Siegfried in Langs *Die Nibelungen*
(1924).
Während der dreißiger und vierziger Jahre wird er zum Protagonisten zahlreicher Heimatfilme, in denen er Hauptrollen spielt, etwa
in *Ehestreik* (1935), *Der laufende Berg* (1941) oder *Der Ochsenkrieg* (1942).
Mit häufigen Auftritten in Heimatfilmen der fünfziger Jahre sorgt
Paul Richter für Kontinuität: ob in *Der Geigenmacher von Mittenwald* (1950), *Die schöne Tölzerin* (1952) oder *Der Jäger von Fall*
(1957).
Paul Richter stirbt am 13. Dezember 1961 in Wien.

Filme mit Paul Richter:

DR. MABUSE, DER SPIELER (1922)
DIE NIBELUNGEN, 1. TEIL: SIEGFRIED (1924)
EHESTREIK (1935)
DER LAUFENDE BERG (1941)
DER OCHSENKRIEG (1942)
WARUM LÜGST DU, ELISABETH? (1944)

243

JOHANNES RIEMANN

Geboren am 31. Mai 1888 in Berlin als Sohn eines Kaufmanns.
Während der Schulzeit wird er Mitglied des Domchores seiner
Heimatstadt und möchte Oratoriensänger werden. Später beginnt
er eine Lehre in einem Musikgeschäft und nimmt abends Schauspielunterricht.

Sein Bühnendebüt gibt er 1908 am Berliner Hebbeltheater, geht
später ans Hoftheater Weimar und kehrt 1916 wieder nach Berlin
zurück, wo er bei Max Reinhardt, am Komödienhaus und am
Deutschen Künstlertheater spielt.

Im gleichen Jahr beginnt er für den Stummfilm zu arbeiten, u. a. in
Veritas Vincit (1918) oder *Wilhelm Tell* (1923).

Er wird von der Ufa unter Vertrag genommen, reüssiert in Komödien wie *Der Jüngling von der Konfektion* (1926) oder *Drunter und
drüber* (1928) und macht 1930 einen Ausflug nach Hollywood für
Liebe auf Befehl.

Auch in den Tonfilmen, die Riemann Anfang der dreißiger Jahre
in Berlin dreht, tritt er überwiegend als intelligenter Herzensbrecher oder gewitzter Ehemann auf: so als Partner von Jenny Jugo in
Heute nacht – eventuell ... (1930), in einer Doppelrolle als *Der
falsche Ehemann* (1931) oder, als Chef einer Flugzeugfabrik, in
Sein Scheidungsgrund (1931).

In der Ufa-Produktion *Ihr erstes Erlebnis* (1939) spielt er einen
Kunstprofessor, den sich die junge Ilse Werner ausguckt, ohne daß
er sich dazu entschließen könnte, seine Frau zu verlassen.

1943 muß sich Johannes Riemann, der auch Regie führt, wegen
schwerer Depressionen aus seinem Beruf zurückziehen, kann ab
Mitte der fünfziger Jahre aber wieder auftreten, so in *Jede Nacht in
einem anderen Bett* (1956) oder *Zwei Bayern im Harem* (1957).

Johannes Riemann stirbt am 30. September 1959 in Konstanz.

Filme mit Johannes Riemann:

VERITAS VINCIT (1918)
DER JÜNGLING AUS DER KONFEKTION (1926)
DER FALSCHE EHEMANN (1931)
SEIN SCHEIDUNGSGRUND (1931)
LIEBE AUF DEN ERSTEN TON (1932)
ICH HEIRATE MEINE FRAU (1934)
IHR ERSTES ERLEBNIS (1939)

245

RALPH ARTHUR ROBERTS

Geboren als Robert Arthur Schönherr am 2. Oktober 1884 im sächsischen Meerane. Der Sohn eines Bäckers geht in Dresden zur Schule und wird wegen seiner ›unziemlichen‹ Nebenbeschäftigung als Statist an einem Theater relegiert.

Daraufhin nimmt er Schauspiel- und Kompositionsunterricht und bekommt 1903 sein erstes Engagement ans Residenztheater Wiesbaden. Nach Aufenthalten in Berlin und Breslau wird er 1907 Ensemblemitglied des Thalia-Theaters Hamburg. Er macht den Ersten Weltkrieg mit und kehrt 1918 als Schauspieler, Regisseur und Intendant ans Thalia-Theater zurück.

Dort entwickelt er sich zum Charakterkomiker, tritt in selbstinszenierten klassischen Lustspielen (›Tartuffe‹) ebenso auf wie in Revuen (›Bunt ist die Welt‹), für die er eigene Lieder schreibt (›Auf der Reeperbahn nachts um halb eins ...‹).

Seit 1919 spielt Ralph Arthur Roberts auch in Filmen wie *Der Tod und die Liebe, Die Buddenbrooks* (1923) oder *Der Raub der Sabinerinnen* (1928).

Sein exzentrisches Allround-Talent kommt erst nach Einführung des Tonfilms voll zur Geltung.

In der Ufa-Komödie *Einbrecher* (1930) spielt er einen kauzigen Pariser Spielwarenfabrikanten, der auch seine junge Frau (Lilian Harvey) nur als Spielzeug sieht und sie nach einigen Verwicklungen an einen jüngeren Bewerber (Willy Fritsch) abtritt.

In *Meine Tante – deine Tante* (1939) verwandelt er sich von einem schrulligen aristokratischen Weiberfeind in einen jugendlichen Liebhaber zurück, als sein Neffe (Johannes Heesters) die richtige Frau (Olly Holzmann) auf ihn ansetzt.

Seine Spezialität war es, ältere, verschrobene Autoritätspersonen zu persiflieren, wobei seine Charaktere, denen er sympathische Seiten abgewann, nie zum Klischee verkamen.

Nach der Komödie *Wie konntest du, Veronika!*, an deren Idee er mitgefeilt hatte, stirbt Ralph Arthur Roberts am 12. März 1940 in Berlin.

Filme mit Ralph Arthur Roberts:

EINBRECHER (1930)
DER FRECHDACHS (1932)
DER MAULKORB (1938)
MEINE TANTE – DEINE TANTE (1939)
WIE KONNTEST DU, VERONIKA? (1940)

Heinz Rühmann

Seine korrekte Kleidung und die perfekten, elastischen Umgangsformen weisen ihn als Erwachsenen aus. Sein schalkhaftes Lächeln, die dreisten Pennälerstreiche, zu denen er imstande ist, und seine schüchternen, leisen Töne verraten einen Menschen, der sich den Erstarrungen der Erwachsenenwelt verweigert und in Kindern zwischen sieben und 70 seine Verbündeten findet.

Das Unfertige, Spitzbübische, das hinter einer angepaßten Fassade hervorbricht, macht Heinz Rühmanns Charme und Wirkung aus.

Geboren wird Heinrich Wilhelm Rühmann am 7. März 1902 in Essen als Sohn eines Gastwirts und Hoteliers.

Die Schulzeit verbringt er teilweise im Ruhrgebiet, teilweise in München, wo er ab 1916 mit der Mutter und seinen zwei Geschwistern lebt.

Vor dem Abitur verläßt er das Realgymnasium, um bei Friedrich Basil Schauspielunterricht zu nehmen. Im Frühjahr 1920 debütiert er am Breslauer Lobe-Theater. Nach Zwischenstationen in Hannover und Bremen kommt Rühmann im Sommer 1923 nach München zurück, wo er erst am Münchner Schauspielhaus, dann an den Kammerspielen Ensemblemitglied wird. Dort entdeckt Otto Falckenberg Rühmanns komisches Talent und fördert es in Stücken wie *Der Mustergatte* oder *Charlys Tante*.

Zum Film kommt er 1926 mit einer kleinen Rolle in *Das deutsche Mutterherz,* doch beginnt seine Leinwandkarriere erst mit Wilhelm Thiels *Die Drei von der Tankstelle* (1930).

Der überragende Erfolg dieses Films trägt ihm einen Jahresvertrag bei der Ufa ein. In *Einbrecher* (1930) spielt er noch eine Nebenrolle, doch ab dann gehört er fast nur noch zur ersten Garde und ist einer der meistbeschäftigten Komiker des deutschen Films.

Er wird Partner von Hans Albers (*Bomben auf Monte Carlo,* 1931), Conrad Veidt (*Ich und die Kaiserin,* 1933) und Widerpart von Hans Moser, mit dem er eine Reihe von Lustspielen im Wiener Milieu bestreitet (*Wer zuletzt küßt,* 1936, *Der Mann, von dem man spricht,* 1937).

Durch Filme wie Karl Hartls *Der Mann, der Sherlock Holmes war* (1937) oder Wolfgang Liebeneiners Kinoversion von *Der Mustergatte* (1937) steigt Rühmann Ende der dreißiger Jahre zu einem der populärsten deutschen Leinwandhelden auf.

Ab 1937 ist er bei der Ufa-Tochter Terra unter Vertrag, für die er nicht nur vor der Kamera steht, sondern auch eigene Filme inszeniert bzw. produziert (*Lauter Lügen,* 1938, *Lauter Liebe,* 1940).

In Rühmanns Terra-Herstellungsgruppe entstehen auch seine größten Erfolge: *Paradies der Junggesellen* (1939), *Quax, der Bruchpilot* (1941) und *Die Feuerzangenbowle* (1943).

Nach Kriegsende verbieten die Alliierten Heinz Rühmann vorübergehend die Filmarbeit. Er spielt Theater (u. a. mit einer eigenen Inszenierung von ›Der Mustergatte‹) und gründet 1947 eine Filmproduktion, die aber bald danach in Konkurs geht.

Mitte der fünfziger Jahre kann Heinz Rühmann in Filmen wie *Wenn der Vater mit dem Sohne, Charleys Tante* oder *Der Hauptmann von Köpenick* an seine alten Erfolge anknüpfen.

Mit zunehmendem Alter spielt er neben schlitzohrigen Gestalten (*Der brave Soldat Schwejk,* 1960, oder als Pater Brown in *Das schwarze Schaf,* 1960) zunehmend ernste Charakterrollen, etwa als Willy Lohman in *Der Tod des Handlungsreisenden* (1968).

Seit Ende der sechziger Jahre arbeitet Rühmann fast nur noch fürs Fernsehen, zieht sich aber, von wenigen Ausnahmen abgesehen, 15 Jahre später auch hier zurück.

Heinz Rühmann lebt heute in Berg am Starnberger See.

Filme mit Heinz Rühmann:

DIE DREI VON DER TANKSTELLE (1930)
BOMBEN AUF MONTE CARLO (1931)
MEINE FRAU, DIE HOCHSTAPLERIN (1931)
LACHENDE ERBEN (1933)
WER ZULETZT KÜSST (1936)
DER MANN, VON DEM MAN SPRICHT (1936)
DER MANN, DER SHERLOCK HOLMES WAR (1937)
DER MUSTERGATTE (1937)
13 STÜHLE (1938)
PARADIES DER JUNGGESELLEN (1939)
KLEIDER MACHEN LEUTE (1940)
DER GASMANN (1941)
QUAX, DER BRUCHPILOT (1941)
ICH VERTRAUE DIR MEINE FRAU AN (1942)
DIE FEUERZANGENBOWLE (1944)

Franz Schafheitlin

Ein Nebendarsteller.

Am 9. August 1895 in Berlin als Sohn eines Oberlehrers geboren, kommt er 1930 über Max Reinhardt zum Film: In Georg Jacobys *Das Geld auf der Straße* (1930) spielt er den sparsamen, pflichtbewußten Freund eines Bankangestellten (Georg Alexander), der vom großen Reichtum träumt.

Danach verleiht er in mehr als 200 Episodenrollen den Filmen seine Farbe: von *Heimat* (1938), über *Nanu, Sie kennen Korf noch nicht?* (1938) bis *Opfergang* (1943) tritt er meist als seriöser, zurückhaltender Zeitgenosse mit akademischem Nimbus auf – ein im Film des Dritten Reiches nicht gerade häufiges Rollenfach. Zuweilen setzt er sein intellektuelles Image auch gezielt zur Tarnung ein: so in Franz Peter Buchs *Gefährlicher Frühling* (1943), wo er sich als Spitzel hinter der Maske eines kauzigen Biologen verbirgt. Nach dem Ende der Ufa arbeitet Franz Schafheitlin vor allem fürs Theater. Er stirbt am 6. Februar 1980 in München.

Filme mit Franz Schafheitlin:

IA IN OBERBAYERN (1936)
ANNA FAVETTI (1938)
HEIMAT (1938)
NANU, SIE KENNEN KORF NOCH NICHT? (1938)
DAS LIED DER WÜSTE (1939)
DAS UNSTERBLICHE HERZ (1939)
KORA TERRY (1940)
ICH KLAGE AN (1941)
MENSCHEN IM STURM (1941)
DER GROSSE KÖNIG (1942)
DIE ENTLASSUNG (1942)
GEFÄHRLICHER FRÜHLING (1943)
OPFERGANG (1943)

KARL SCHÖNBÖCK

Karl Ludwig Joseph Maria Schönböck, geboren am 4. Februar 1909 in Wien.

Nach dem Abitur besucht er die Akademie für Musik und darstellende Kunst in Wien, arbeitet für den österreichischen Rundfunk und debütiert 1930 am Stadttheater Meißen.

Über Engagements in Hannover, Salzburg, Königsberg und Bonn kommt er schließlich nach Berlin, wo er u. a. am Theater am Kurfürstendamm spielt.

1936 tritt er erstmals beim Film auf: in Reinhold Schünzels *Das Mädchen Irene* mimt er einen graumelierten, englischen Lord, der sich das Vertrauen der Kinder seiner zukünftigen Frau (Lil Dagover) erkämpfen muß.

Von da an werden Kavaliere, Bonvivants, Diplomaten und Herren in ähnlich exponierter Stellung zum Rollenfach Schönböcks, der in Uniform, Frack oder Flanell eine gleichermaßen gute Figur macht. Seine große Statur, der aristokratische Schnurrbart und sein britisches Understatement empfehlen ihn für entsprechende Rollen: In Erich Waschnecks Ufa-Produktion *Gewitterflug zu Claudia* (1937) spielt er den (englischen) Freund und Kollegen von Flugkapitän Droste (Willy Fritsch), in *Titanic* (1943) den Lord Astor.

Nach Kriegsende zieht Schönböck nach München, wo er u. a. an den Kammerspielen und im Kabarett ›Die Kleine Freiheit‹ auftritt, dessen Mitbegründer er ist. Sein Genre wird das geistreiche Boulevardtheater.

Auch im Film der fünfziger Jahre bleibt Schönböck der ›Grandseigneur vom Dienst‹.

Seit den frühen sechziger Jahren dreht Schönböck überwiegend fürs Fernsehen (zuletzt in den Serien ›Die Wicherts von nebenan‹ oder ›Das Erbe der Guldenburgs‹), erlaubt sich aber hin und wieder Ausflüge ins Kino, etwa für *Otto, der Film* (1986).

Karl Schönböck lebt in München.

Filme mit Karl Schönböck:

DAS MÄDCHEN IRENE (1936)
EINE NACHT IM MAI (1938)
CASANOVA HEIRATET (1940)
BISMARCK (1940)
TITANIC (1943)

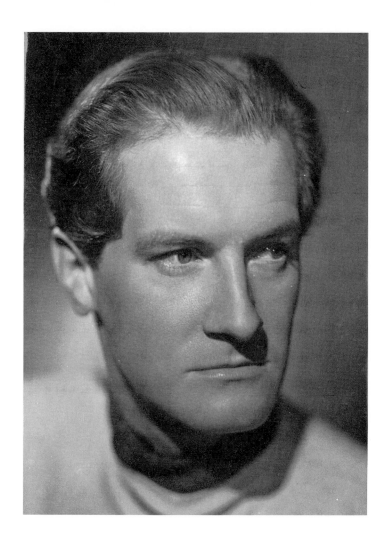

ALBRECHT SCHÖNHALS

Albrecht Moritz James Karl Schönhals, geboren am 7. März 1888 in Mannheim.

Nach dem Abitur studiert er in Berlin Medizin, erlebt den Ersten Weltkrieg als Arzt an der Westfront und beschließt nach Kriegsende, Schauspielunterricht zu nehmen.

1920 gibt er sein Bühnendebüt am Stadttheater Freiburg, dessen Ensemblemitglied er im Jahr darauf wird. Über Frankfurt/Main, Dortmund und Hamburg kommt er 1933 nach Berlin, wo er in der Ufa-Produktion *Fürst Woronzeff* erfolgreich beim Film debütiert: Schönhals spielt darin die Doppelrolle eines alternden, kranken Fürsten, der einen Freund damit beauftragt, gegen die Machenschaften seiner erblüsternen Verwandtschaft zu kämpfen.

In den Gesellschaftsfilmen der dreißiger Jahre wird Schönhals zum Prototyp des gutaussehenden, distinguierten Herren: Industrielle, Ministerialbeamte, ›Halbgötter in Weiß‹ gehören zu seinen bevorzugten Rollen. Als weitläufiger Liebhaber gibt er so unterschiedlichen Damen wie Pola Negri (*Mazurka*, 1935), Lil Dagover (*Rätsel um Beate*, 1938) oder Lida Baarova (*Der Spieler*, 1938) Halt.

Weil er es 1940 ablehnt, die Titelrolle von *Jud Süß* zu spielen, wird er auf Betreiben von Goebbels weitgehend kaltgestellt.

Schönhals zieht nach Baden-Baden, gastiert an Theatern und arbeitet vor und nach Kriegsende als Chirurg.

Im deutschen Nachkriegsfilm spielt er vertrauenerweckende Anwälte oder Ärzte und knüpft damit an sein bekanntes Image an. Seit Ende der fünfziger Jahre arbeitet er fürs Fernsehen und verabschiedet sich 1968 mit der Rolle des Großindustriellen Essenbeck in Luchino Viscontis *Die Verdammten* vom Kino.

Am 5. Dezember 1978 stirbt Albrecht Schönhals in Baden-Baden.

Filme mit Albrecht Schönhals:

FÜRST WORONZEFF (1934)
APRIL, APRIL (1934)
EINER ZUVIEL AN BORD (1935)
MAZURKA (1935)
STÜTZEN DER GESELLSCHAFT (1935)
BOCCACCIO (1936)
TANGO NOTTURNO (1937)
ROMAN EINES ARZTES (1939)
ANGELIKA (1940)

Reinhold Schünzel

Geboren am 7. November 1888 in Hamburg.

1912 wird Schünzel Mitglied einer Varieté-Truppe, bereist Deutschland und die Schweiz.

Er spielt komische Rollen am Stadttheater Bern, wird vorübergehend zum Ersten Weltkrieg eingezogen und kommt 1915 nach Berlin, wo er an verschiedenen Bühnen auftritt.

Ein Jahr später ist er zum erstenmal in einem Film zu sehen: *Werner Krafft. Der Maschinenbauer* (1916).

Es folgen seriöse wie burleske Rollen, ehe er sich auf Erotomanen und abgefeimte Schurken spezialisiert: Zuhälter, Verführer, Drogenhändler (etwa in *Der Seelenverkäufer* oder *Heddas Rache,* beide 1919).

1918 führt Schünzel in *Hannes' Millionengründung* das erstemal selbst Filmregie und profiliert sich bald als geschickter Leiter selbst aufwendiger Projekte (*Katharina die Große,* 1920).

Ab 1926 produziert er mit seiner eigenen Firma für die Ufa *(Der Himmel auf Erden, Don Juan in der Mädchenschule);* 1931 steht er für die Ufa-Produktion *Ihre Hoheit befiehlt* gemeinsam mit Käthe von Nagy und Willy Fritsch vor der Kamera.

In den folgenden Jahren wird Reinhold Schünzel mit Titeln wie *Der kleine Seitensprung* (1931), *Wie sag ich's meinem Mann?, Viktor und Viktoria* (1933) und *Amphitryon* (1935) zum versiertesten Komödienregisseur der Ufa. Dies geht zu Lasten des Schauspielers Schünzel, der sich hinter die Kamera zurückzieht. Weil er Halbjude ist, darf er nach 1933 nur noch mit Sondergenehmigungen des Propagandaministeriums arbeiten. Schünzel emigriert 1938 nach Amerika, wo er u. a. in Fritz Langs *Hangmen Also Die!* (1942) als Nazi-Scherge auftritt.

1949 kehrt er nach Deutschland zurück, versucht sein Comeback als Regisseur sowie als Darsteller (*Eine Liebesgeschichte,* 1953).

Am 11. September 1954 stirbt Reinhold Schünzel in München.

Filme von und mit Reinhold Schünzel:

Das Mädchen aus der Ackerstrasse (1920)
Don Juan in der Mädchenschule (1928)
Ihre Hoheit befiehlt (1931)
Der kleine Seitensprung (1931)
Das schöne Abenteuer (1932)
Viktor und Viktoria (1933)
Amphitryon (1935)

Hans Söhnker

Geboren am 11. Oktober 1903 in Kiel als Sohn eines Verlagsleiters. Nach der mittleren Reife läßt er sich zum Schauspieler ausbilden. Sein Debüt gibt er 1923 am Kieler Stadttheater, wo er als jugendlicher Held und Liebhaber besetzt wird.

Viktor Janson holt ihn 1933 für die Titelrolle seiner Lehár-Operette *Der Zarewitsch* zum Film.

Seine frische, direkte Art und sein unbekümmerter Charme machen ihn zum Herzensbrecher in Komödien wie *Annette im Paradies* (1934), *Und du, mein Schatz, fährst mit* (1936) oder Operetten (*Die Czardasfürstin*, 1934, *Die Fledermaus*, 1937).

Auch in ernsten Rollen überzeugt er: Als Wochenschau-Kameramann führt er in Käutners *Auf Wiedersehen, Franziska* (1941) mit Marianne Hoppe eine Ehe auf Abruf, die durch seine Pflichterfüllung im Zeichen des Krieges zwar gefährdet, für die Frau aber auch zur Emanzipationschance wird.

Ansonsten verkörpert Söhnker den verständnisvollen Gatten (*Meine Frau Theresa*, 1942) oder den geradlinigen, verläßlichen Partner: so in Käutners *Große Freiheit Nr. 7* (1943), wo sich Ilse Werner für ihn entscheidet, weil sie bei ihm – im Gegensatz zu Albers – weiß, woran sie ist.

Nach Kriegsende konnte Söhnker seine Laufbahn erfolgreich fortsetzen. Er spielte in *Film ohne Titel* (1948), *Männer im gefährlichen Alter* (1954) oder als vertrauenerweckender *Oberarzt Dr. Solm* (1955).

Auch für Bühne und Fernsehen arbeitete Hans Söhnker bis Mitte der siebziger Jahre.

Am 20. April 1981 starb Hans Söhnker in Berlin.

Filme mit Hans Söhnker:

DER ZAREWITSCH (1933)
ANNETTE IM PARADIES (1934)
DIE CZARDASFÜRSTIN (1934)
UND DU, MEIN SCHATZ, FÄHRST MIT (1936)
DIE FLEDERMAUS (1937)
MÄNNER MÜSSEN SO SEIN (1939)
AUF WIEDERSEHEN, FRANZISKA (1941)
MEINE FRAU THERESA (1942)
GROSSE FREIHEIT NR. 7 (1943)

VIKTOR STAAL

Geboren am 17. Februar 1909 in Frankstadt/Mähren als Sohn eines Installateurs.

Ende der zwanziger Jahre beginnt er seine Karriere an Provinztheatern. 1933 spielt er am Wiener Volkstheater jugendliche Helden und Liebhaber.

Zwei Jahre später macht er bei der Ufa in Berlin Probeaufnahmen und bekommt seine erste Rolle als Partner von Anny Ondra in Reinhold Schünzels Gaunerkomödie *Donogoo Tonka* (1936).

Mit seinem kantigen Gesicht und dem etwas hölzernen Charme gibt er neben quirligen oder erhabenen Schönheiten einen guten Kontrast ab.

Er wird Partner von Hansi Knoteck (*Waldwinter,* 1936), Lilian Harvey (*Capriccio,* 1938), Marika Rökk (*Eine Nacht im Mai,* 1938) und besonders Zarah Leander: In *Zu neuen Ufern* (1937) ist er als großer, blonder Farmer im australischen Exil ihr Erlöser, in *Die große Liebe* (1942) löst er durch sein kriegsbedingtes Kommen und Gehen Zarahs Gefühlsmartyrium aus.

Staal entspricht am ehesten dem Idealbild des ›nordischen‹ Mannes: baumlang, blond und geradeheraus. Er vermittelt schlichte, maskuline Stärke, ist eher wortkarg als ein Freund großer Worte. Ein Typ zum Anlehnen – so ihn nicht gerade die Pflicht ruft.

Auch in *Via Mala* (1945) gibt er als Amtmann von Richenau, der versucht, Licht ins Dunkel um die Ermordung des tyrannischen Sägewerkbesitzers zu bringen, eine durch und durch aufrechte Figur ab.

Nach Kriegsende faßte Viktor Staal zunächst wieder beim Theater Fuß, kehrte aber Anfang der fünfziger Jahre auch wieder zum Kino zurück, besonders als Darsteller in Heimatfilmen: *Wenn abends die Heide träumt* (1952), *Der Schmied von Bartolomä* (1954).

Ende der siebziger Jahre zog er sich von der Schauspielerei zurück. Viktor Staal starb am 4. Juni 1982 in München.

Filme mit Viktor Staal:

DONOGOO TONKA (1936)
ZU NEUEN UFERN (1937)
CAPRICCIO (1938)
EINE NACHT IM MAI (1938)
DIE GROSSE LIEBE (1942)
MATHILDE MÖHRING (1945)
VIA MALA (1945)

263

HANS STÜWE

Geboren am 14. Mai 1901 in Marnitz (Mecklenburg).

Nach dem Abitur möchte er Sänger werden und studiert Musik in Halle und Leipzig. Nebenher nimmt er Schauspielunterricht und debütiert 1925 am Stadttheater Königsberg als Opernsänger.

1926 bekommt er seine erste Filmrolle in *Des Königs Befehl* und wird schnell bekannt.

Dem gelernten Musiker verschafft der Tonfilm neue Chancen: Anfang der dreißiger Jahre spielt (und singt) er in Operettenfilmen (*Der Walzerkönig;* 1930, *Heißes Blut,* 1936), tritt aber auch in Liebesfilmen und Krimis auf (*Die Frau, von der man spricht,* 1931; *Hilfe! Überfall!,* 1931).

Nach vielen Liebhaberrollen werden Ende der dreißiger Jahre sensible, neurasthenische Menschen immer mehr zu Stüwes Charakterfach. Als Partner von Zarah Leander in Carl Froelichs *Es war eine rauschende Ballnacht* (1939) verkörpert er, schmallippig, mit depressivem Blick, den auf Gedeih und Verderb seiner Musik verschriebenen Peter Tschaikowsky; in *Der Weg ins Freie* (1941) zieht er sich, verbittert durch seine erfolgreiche, egoistische Frau, auf sein Gut zurück. In *Damals* schließlich (1943) wirft der krankhaft Eifersüchtige seine Frau aus dem Haus, nachdem er von ihrem heimlichen Treffen mit einem früheren Freund erfahren hat.

Nach Kriegsende verlegte Hans Stüwe seine Arbeit aufs Musiktheater.

Stüwe, der unter Depressionen litt, versuchte sich 1950 nach einem Nervenzusammenbruch mehrmals umzubringen.

In reduziertem Umfang trat er später wieder in Filmen auf (*Grün ist die Heide,* 1951; *Die Frau des Botschafters,* 1955 oder, in der Rolle eines Aussteigers auf einer Südseeinsel, *Blaue Jungs,* 1957).

In den sechziger Jahren zog er sich vom Film zurück.

Hans Stüwe starb am 13. Mai 1976 in Berlin.

Filme mit Hans Stüwe:

DER WALZERKÖNIG (1931)
DIE FRAU, VON DER MAN SPRICHT (1931)
HEISSES BLUT (1936)
DREI VÄTER UM ANNA (1939)
ES WAR EINE RAUSCHENDE BALLNACHT (1939)
DER WEG INS FREIE (1941)
DAMALS (1943)

LUIS TRENKER

Geboren am 4. Oktober 1892 in St. Ulrich (Südtirol) als Sohn eines Malers und Bildschnitzers.

Nach dem Besuch der Volks- und der Realschule in Bozen und in Innsbruck beginnt er eine Ingenieurslehre und wird Architekt.

Der Freiburger Bergfilmer Arnold Fanck holt ihn 1923 als alpinen Berater, dann als Darsteller für *Der Berg des Schicksals.*

Unter Fanck entstehen mit ihm *Der heilige Berg* (1925) und *Der große Sprung* (1927).

Nach einigen weiteren Auftritten in ähnlichen Filmen führt Trenker 1932 in *Der Rebell* zum erstenmal Regie.

Der Erfolg dieses Debüts bringt ihn nach Hollywood, wo er künftig neben englischsprachigen Versionen seiner Filme auch amerikanische Themen aufgreift (*Der verlorene Sohn,* 1934; *Der Kaiser von Kalifornien,* 1936).

Sein eigentliches Terrain aber bleiben die Alpen, der Kampf gegen Eis und Schnee und der Triumph des erfolgreichen Gipfelstürmers (*Der Berg ruft,* 1937).

Obwohl ihm die Sympathien der deutschen Führung gehören, zieht Trenker 1942 nach Italien und erzählt von dort (und übers Kriegsende hinaus) in seinen Filmen vom *Duell in den Bergen* (1949), vom *Frühling in Südtirol* (1950) oder der *Flucht in die Dolomiten* (1955), wobei er sich mehr und mehr auf dokumentarische Kurzformen beschränkt.

In den fünfziger Jahren kehrt er nach Deutschland zurück und betreibt in München eine eigene Produktion, für die noch gelegentlich Spielfilme entstehen (*Wetterleuchten um Maria,* 1957), in denen er aber nicht mehr auftritt.

Luis Trenker stirbt am 12. April 1990 in Bozen.

Filme mit Luis Trenker:

DER HEILIGE BERG (1925)
DER GROSSE SPRUNG (1927)
BERGE IN FLAMMEN (1931)
DER REBELL (1932)
DER VERLORENE SOHN (1934)
DER KAISER VON KALIFORNIEN (1936)
DER BERG RUFT (1937)
GERMANIN (1942)

Conrad Veidt

Am 22. Januar 1893 in Berlin geboren. Er verläßt das Gymnasium vor dem Abitur und besucht Max Reinhardts Theaterschule.

Den ersten großen Erfolg hat er als homosexueller Geiger in Oswalds *Anders als die andern* (1919).

Seinen internationalen Durchbruch schafft er in *Das Kabinett des Dr. Caligari* (1919), in dem Veidt das willenlos mordende Medium Caesare spielt.

Neben Werner Krauß, Reinhold Schünzel und Fritz Rasp wird Conrad Veidt zum bekanntesten unter den dämonischen Helden des expressionistischen Kinos.

Ob in Murnaus ›Dr. Jekyll und Mr. Hyde‹-Version *Der Januskopf* (1920), Wienes *Orlacs Hände* (1924) oder in Galeens *Der Student von Prag* (1926): stets verkörpert Veidt grauenerregende, gespaltene Persönlichkeiten.

Bis Mitte der zwanziger Jahre avanciert er zum – neben Jannings – bestbezahlten Fimstar und folgt 1926 einer Einladung nach Hollywood, wo er bis 1929 bleibt.

Nach seiner Rückkehr, die mit der Einführung des Tonfilms zusammenfällt, wird sein Image profaner. Für die Ufa entstehen mit ihm (in leitendem Rang) Preußenfilme wie *Die letzte Kompagnie* (1930) oder *Der schwarze Husar* (1932) sowie, als Partner von Lilian Harvey, Friedrich Hollaenders Komödie *Ich und die Kaiserin* (1933).

Mit einer Jüdin verheiratet, lebt und arbeitet Conrad Veidt nach 1933 vorwiegend in England, wo er meist positive Figuren spielt und zum Publikumsliebling wird.

1940 zieht Veidt nach Hollywood und verkörpert jetzt häufig jenen Personenkreis, der ihn und seine Frau aus Deutschland vertrieben hat: Nazis. Die prominenteste Rolle dieses Fachs bekommt er als Major Straßer in *Casablanca* (1942).

Am 3. April 1942 stirbt Conrad Veidt in Hollywood.

Filme mit Conrad Veidt:

ANDERS ALS DIE ANDERN (1919)
DAS KABINETT DES DR. CALIGARI (1919)
DER JANUSKOPF (1920)
ORLACS HÄNDE (1924)
DER STUDENT VON PRAG (1926)
DIE LETZTE KOMPAGNIE (1930)
DER KONGRESS TANZT (1931)
DIE ANDERE SEITE (1931)
ICH UND DIE KAISERIN (1933)

269

Aribert Wäscher

Geboren am 1. Dezember 1895 in Flensburg.

Nach der Schulzeit läßt er sich in Berlin zum Schauspieler ausbilden und debütiert 1915 in Magdeburg am Theater. 1919 kehrt er nach Berlin zurück, wo er u. a. am Deutschen Theater, am Lustspielhaus und an der Volksbühne auftritt.

Bereits in den zwanziger Jahren tritt er in Stummfilmen auf (*Die Verrufenen*, 1925, *Menschen untereinander*, 1926), kann aber erst Anfang der dreißiger Jahre sein Repertoire voll entfalten. Durch seine große Wandlungsfähigkeit stehen ihm alle Genres offen. Sein Spektrum reicht vom preußischen Militär Pöllnitz *(Das Flötenkonzert von Sanssouci)* bis zum Wanderkomödianten in *Gern hab' ich die Frau'n geküßt.*

Seine Domäne aber sind hintergründige, zwielichtige Figuren.

Für die Ufa dreht er 1936 den Abenteuerfilm *Unter heißem Himmel,* in dem er als ominöser Konsul zum Gegenspieler von Hans Albers wird.

Zum natürlichen Gegner von Lilian Harvey wird er in *Capriccio* (1938) als feister Heiratsanwärter, vor dessen Absichten sie flieht.

Einen seiner eindrucksvollsten Auftritte hat er in *Es war eine rauschende Ballnacht* (1939) als Ehemann von Zarah Leander, der von ihrer Liebe zu Tschaikowsky weiß und zum zynischen Ehedespoten wird.

Nach Kriegsende wechselt Aribert Wäscher zum Deutschen Theater, ab 1951 spielt er am Schiller- und Schloßparktheater.

Nur sporadisch sieht man ihn in Filmen der fünfziger Jahre (*Wenn die Abendglocken läuten*, 1951; *Ein Mann vergißt die Liebe*, 1955). Aribert Wäscher stirbt am 14. Dezember 1961 in Berlin.

Filme mit Aribert Wäscher:

Unter heissem Himmel (1936)
Capriccio (1938)
Es war eine rauschende Ballnacht (1939)
Frauen sind doch bessere Diplomaten (1941)

271

Paul Wegener

Geboren am 11. Dezember 1874 in Jerrentowitz/Westpreußen als jüngstes von fünf Kindern eines Gutsbesitzers.

Nach dem Abitur studiert er Jura in Freiburg/Br. und Leipzig, nimmt nebenher Schauspielunterricht und debütiert 1895 am Stadttheater Rostock.

1906 holt ihn Max Reinhardt ans Deutsche Theater nach Berlin.

1913 tritt er zum erstenmal in einem Film auf und wird in der Doppelrolle als *Der Student von Prag,* der sein Spiegelbild an den Teufel verkauft, rasch bekannt: Sein mongolisches Aussehen mit den schmalen Augen und den hervorspringenden Backenknochen prägt sich ein.

Auch *Der Golem* (1914), seine nächste große Produktion, die nach einer Vorlage von ihm entsteht, wird ein großer Erfolg.

Es folgt eine Reihe von Filmen (darunter zwei Fortsetzungen des *Golem*-Stoffes), die ihn, seinem exotischen Image entsprechend, als Märchenfigur zeigen (*Rübezahls Hochzeit,* 1916) oder, wie in *Der Yoghi* (1916), als fernöstlichen Helden.

In den späten zwanziger Jahren verkörpert er weiterhin dämonische Figuren wie *Ramper,* den Tiermenschen, oder, in Henrik Galeens *Alraune* (beide 1927), den Professor.

Nachdem er in der Spätphase der Weimarer Republik linke (Künstler-)Gruppierungen unterstützt hat, arrangiert sich Paul Wegener nach der Machtergreifung Hitlers rasch mit den Nazis und verkörpert in den Filmen des Dritten Reiches viele Antihelden: etwa einen Kommunisten in der Horst-Wessel-Huldigung *Hans Westmar* (1933).

Nach Kriegsende widmet sich Paul Wegener wieder verstärkt dem Theater. Er stirbt am 13. September 1948 in Berlin.

Filme mit Paul Wegener:

DER STUDENT VON PRAG (1913)
DER GOLEM (1914)
DER YOGHI (1916)
DER GOLEM – WIE ER IN DIE WELT KAM (1920)
ALRAUNE (1927)
DAS UNSTERBLICHE HERZ (1939)
DIESEL (1942)
HOCHZEIT AUF BÄRENHOF (1942)
KOLBERG (1945)

MATHIAS WIEMAN

Mathias Carl Heinrich Franz Wieman, geboren am 23. Juni 1902 in Osnabrück als Sohn eines Anwalts. Nach dem frühen Tod des Vaters wächst er in Wiesbaden, dann in Berlin auf, wo er nach dem Abitur Kunstgeschichte und Philosophie studiert.

Er bewirbt sich erfolglos bei einer Wiener Bühne, besucht drei Monate lang die Schauspielschule des Deutschen Theaters und schließt sich 1922 einer Wanderbühne an.

1924 debütiert er am Deutschen Theater und wird darauf häufig als unverstandener jugendlicher Rebell eingesetzt.

Zum Film kommt er 1925. Ohne sich auf ein Genre festzulegen, tritt er ebenso in *Der fidele Bauer* (1927) wie in *Königin Luise* (1927) oder *Tagebuch einer Kokotte* (1939) auf, wobei er auch hier meist einsame junge Männer verkörpert.

1930 spielt er die Hauptrolle in der Ufa-Produktion *Rosenmontag,* in der er als junger Leutnant beinahe das Opfer einer verwandtschaftlichen Intrige wird, die ihn mit seiner Verlobten auseinanderbringen soll.

In Karl Ritters *Patrioten* (1937) wird er während des Ersten Weltkrieges als Flieger über Frankreich abgeschossen und verliebt sich in eine junge Schauspielerin (Lida Baarova), die ihn pflegt.

Im Sinne nazistischer Ideologie nur scheinbar eindeutiger fällt die Verfilmung von Storms *Der Schimmelreiter* (1933) aus, in der Wieman als Deichgraf Führertum, Opfermut und Volk-ohne-Raum-Gesinnung vertritt – mit fatalen Folgen.

Nach Kriegsende unternimmt Wieman Lesungen in Kriegsgefangenenlagern, läßt sich in Hamburg nieder, gastiert an verschiedenen deutschen Bühnen und arbeitet bis Mitte der sechziger Jahre für den Film; häufig unter Harald Braun (*Solange du da bist,* 1953; *Der letzte Sommer,* 1954).

Mathias Wieman stirbt am 3. Dezember 1969 in Hamburg.

Filme mit Mathias Wieman:

ROSENMONTAG (1930)
MENSCH OHNE NAMEN (1932)
DER SCHIMMELREITER (1933)
PATRIOTEN (1937)
TRÄUMEREI (1944)

III.
Die Chronik der Ufa

1917	Gründung der Universum-Film AG (Ufa) am 18. Dezember auf Initiative von General Ludendorff, der damit in der Schlußphase des Krieges eine schlagkräftige Propagandawaffe schaffen will.
	Die Firma ist ein Zusammenschluß aus der ›Nordischen Filmgesellschaft‹, dem ›Messter-Konzern‹ und dem ›Union-Konzern‹.
	Grundkapital: 25 Millionen Reichsmark.
	Gegenstand des Unternehmens ist der Betrieb aller Zweige des Filmgewerbes (Produktion, Verleih, Theater).
	Generaldirektor wird Carl Braatz.
	Die Geschäftsräume des Unternehmens befinden sich am Potsdamer Platz, im Picadilly-Haus, dem späteren ›Haus Vaterland‹.
1918	Ein halbes Jahr nach Gründung der Ufa wird eine eigene Kultur- und Lehrfilmabteilung geschaffen. Der Konzern übernimmt Messters ›Riesenglashaus‹ in Tempelhof, erwirbt neben der ›May-Film‹ den späteren Ufa-Palast am Zoo und eröffnet einen eigenen Verleih.
	Die Abschaffung der Zensur führt zu einer Flut von Sitten- und Aufklärungsfilmen.
	Die Ufa kauft einen Stock von 900 amerikanischen Titeln gemischter Genres.
1919	Die Ufa organisiert Protestveranstaltungen gegen Einführung der neuen Lustbarkeitssteuer.
	Am 18. September wird der Zoo-Palast mit Ernst Lubitschs *Madame Dubarry* feierlich eröffnet. Der Film wird zum (ersten Ufa-)Welterfolg.
1919–24	Der verlorene Krieg und die damit verbundene Inflation erschweren Herstellung und Verleih beträchtlich.
	Unter den Produktionen, die dennoch den Weg ins Kino schaffen, bilden sich drei Strömungen heraus:
	1. der historische Ausstattungsfilm,
	2. der phantastische Film,
	3. der expressionistische Film.
1920	Ein neues Reichslichtspielgesetz sorgt für die Wiedereinführung der Zensur.
	In Tempelhof entsteht *Der Golem – wie er in die Welt kam* von und mit Paul Wegener.
1921	Lockerung der Zensurmaßnahmen; in den nächsten Jahren entsteht ein Kino-Boom.
1922	Die ›Decla-Bioscop AG‹ geht in der Ufa auf, somit auch

das Ateliergelände Babelsberg, das ab 1923 Produktionszentrum wird.

F. W. Murnau dreht *Nosferatu,* Fritz Langs *Dr. Mabuse – der Spieler* wird uraufgeführt.

Aus Protest gegen die Lustbarkeitssteuer bleiben die Berliner Kinos eine Woche lang geschlossen.

1923   Gründung der Spitzenorganisation der deutschen Filmindustrie (SPIO). Die Ufa eröffnet erste Bordkinos auf Überseedampfern.

Internationale Konkurrenz erschwert die Verwertungsbedingungen: der Anteil amerikanischer Produktionen liegt mittlerweile bei 40 %.

Erich Pommer wird Chef aller Produktionsbetriebe.

Durch Herstellungsverträge bindet die Ufa zahlreiche bekannte Firmen an den Konzern, der u. a. in Frankreich, England und Fernost tätig wird.

1924   Beteiligung am Terra-Konzern.

Beginn der Fritz-Lang-Ära *(Metropolis).*

Der Expressionismus wird allmählich durch einen neuen sachlichen Stil abgelöst.

1925   Drückende Wirtschaftsprobleme.

Ab Herbst erscheint eine regelmäßige Ufa-Wochenschau.

Übernahme der ›AG für Filmfabrikation‹ (Afifa).

1926   Erich Pommer verläßt die Ufa und zieht nach Hollywood. Angesichts der erdrückenden Konkurrenz Hollywoods und der schlechten Finanzlage des Konzerns schließt die Ufa sich am 6. Februar mit Paramount und MGM zur ›Parufamet Verleihorganisation‹ zusammen, die sowohl amerikanische Filme in Deutschland wie Ufa-Produktionen in den USA optimal vertreiben soll. Die Tatsache, daß der Vertrag offenbar mehr den Amerikanern nützt, führt zu heftigen Kontroversen in der deutschen Presse.

1927   März: Nachdem sich die finanzielle Lage des Konzerns dramatisch verschlechtert hat, wird die Ufa von der Hugenberg-Gruppe (unter Beteiligung von Thyssen, IG-Farben und dem Rheinischen Braunkohlesyndikat) aufgekauft.

Erich Pommer kehrt im November zur Ufa zurück.

1928   Unter Ludwig Klitzsch rasche Sanierung des Konzerns. Produktionschef wird Hugo Corell. Deutliche Ausrichtung auf ›nationalbewußte‹ Stoffe (Preußenfilme).

Die Vorführung sowjetischer Produktionen wird in Ufa-Kinos verboten.

Unabhängigkeit von den amerikanischen Partnern, deren Produktionsdarlehen zurückgezahlt werden.

1929   2. August: Vorführung des ersten Ufa-Tonfilms *(Gläserne Wundertiere)*.

Vorübergehende Krise der deutschen Filmwirtschaft durch erhöhten Investitionsbedarf infolge des Tonfilms.

Im September Fertigstellung des ›Tonkreuzes‹ in Babelsberg.

1930–32   Zähe Umstellung der Industrie auf den Tonfilm. Boom an Tanz- und Musikfilmen.

1933   März: Mit Gründung des Ministeriums für Propaganda und Volksaufklärung ernennt sich Joseph Goebbels zum ›Schirmherren des deutschen Films‹.

Mai: Errichtung der Filmkreditbank GmbH, u. a. als Kontrollinstanz für neue Projekte.

Juli: Gründung der Reichsfilmkammer, der alle Filmschaffenden angehören müssen – die aber nur nichtjüdischen offensteht.

Dies verstärkt die seit der Machtübernahme Hitlers herrschende Emigrationswelle: Fritz Lang, Erich Pommer, Billy Wilder, Peter Lorre und viele andere verlassen Deutschland.

Ausländische Filme werden zwangskontingentiert.

1934   Ein neues Lichtspielgesetz löst das von 1920 ab.

Der nationalsozialistische Staat nimmt direkten Einfluß auf Stoff und Haltung der Filmproduktion.

1937   Verstaatlichung der Filmindustrie: Die Cautio Treuhand GmbH erwirbt Ufa, Tobis, Terra und Bavaria für die Reichsregierung.

1938   Einweihung der Deutschen Filmakademie in Babelsberg.

1939   Enteignung der Barrandov-Studios in Prag durch die deutsche Verwaltung. Während des Krieges als Ausweichatelier genutzt, entstehen hier zahlreiche deutsche Produktionen.

1941   Am 31. Oktober wird der erste Farbspielfilm der Ufa aufgeführt: *Frauen sind doch bessere Diplomaten*.

Gründung der Prag-Film AG.

1942   Die Konzentration der Filmindustrie wird am 10. Januar durch Gründung der Ufa-Film GmbH (= Ufi) abgeschlossen.

1943	Zum 25jährigen Bestehen der Ufa dreht Josef von Baky den Agfacolor-Film *Münchhausen,* der am 3. März im Berliner Zoo-Palast uraufgeführt wird.
	Im November wird die Ufa-Zentrale am Dönhoffplatz bei einem Bombenangriff beschädigt.
1945	*Die Schenke zur ewigen Liebe* heißt die letzte Ufa-Produktion in Babelsberg.
	Am 24. April wird die Ufa-Stadt von Einheiten der Roten Armee besetzt.
1946	17. Mai: Gründung der DEFA in der Sowjetischen Besatzungszone.
	Die Ufa existiert zunächst in Tempelhof weiter.
1953	Offizielle Auflösung der alten staatlichen Ufa.

QUELLEN

Bandmann, Christa/Hembus, Joe: Klassiker des deutschen Tonfilms
(1930–1960). München 1980.

Brennicke, Ilona/Hembus, Joe: Klassiker des deutschen Stummfilms
(1910–1930). München 1983.

Bauer, Alfred: Deutscher Spielfilmalmanach (1929–1950). München 1976.

Beyer, Friedemann: Die UFA-Stars im Dritten Reich. München 1991.

Bezirksamt Tempelhof, Abteilung Volksbildung (Hrsg.): Die UFA. Auf den
Spuren einer großen Filmfabrik. Berlin 1987.

Bock, Hans-Michael (Hrsg.): Cinegraf. Lexikon des deutschsprachigen Films.
Hamburg 1984.

Drewniak, Boguslaw: Der deutsche Film 1938–1945. Düsseldorf 1987.

Glenzdorfs Internationales Filmlexikon. Bad Münster 1961.

Grafe, Frieda/Patalas, Enno: Fritz Lang. München 1976.

Grafe, Frieda/Patalas, Enno: Friedrich Wilhelm Murnau. München 1990.

Klaus, Ulrich J.: Deutsche Tonfilme (Bd. 1–3). Berlin/Berchtesgaden 1988 ff.

Kreimeier, Klaus: Die Ufa-Story. Geschichte eines Filmkonzerns. München
1992.

Manz, Hans Peter: Deutsche Filmwochen. Zürich 1962.

Munzinger: Internationales Biographisches Archiv. o. O.

Romani, Cinzia: Die Filmdiven im Dritten Reich, München 1982.

Riess, Curt: Das gab's nur einmal ... München/Wien 1977.

Sakkara, Michele: Die große Zeit des deutschen Films. Leoni 1980.

Schebera, Jürgen: Damals in Neubabelsberg ... Leipzig 1990.

Transit-Film GmbH (Hrsg.): Klassischer Deutscher Tonfilm (Bd. 1–4).
München o. J.

Wendtland, Karlheinz: Geliebter Kintopp (1929–1945). Berlin 1987 ff.

Werner, Paul: Göttinnen der Leinwand. Die Filmstars der ›wilden Zwanziger‹. Dortmund 1983.

DANKSAGUNG

Für Rat und Hilfe danke ich Rolf Anton, Jean-Michel Briard,
Dr. Axel Poppe, Inge Rhee und Karlheinz Wendtland.

Register

284

287